JN041795

生成AIで何が変わる?何が問題?

オヤジも目覚める!

ChatGPT革命

竹内 薫
Takeuchi Kaoru

徳間書店

画像生成系AIにトライしてみた！

「スノーボール・アース。写真みたいに描いて」
(地球が完全に凍っていた全球凍結のイメージ・イラストを描かせた)

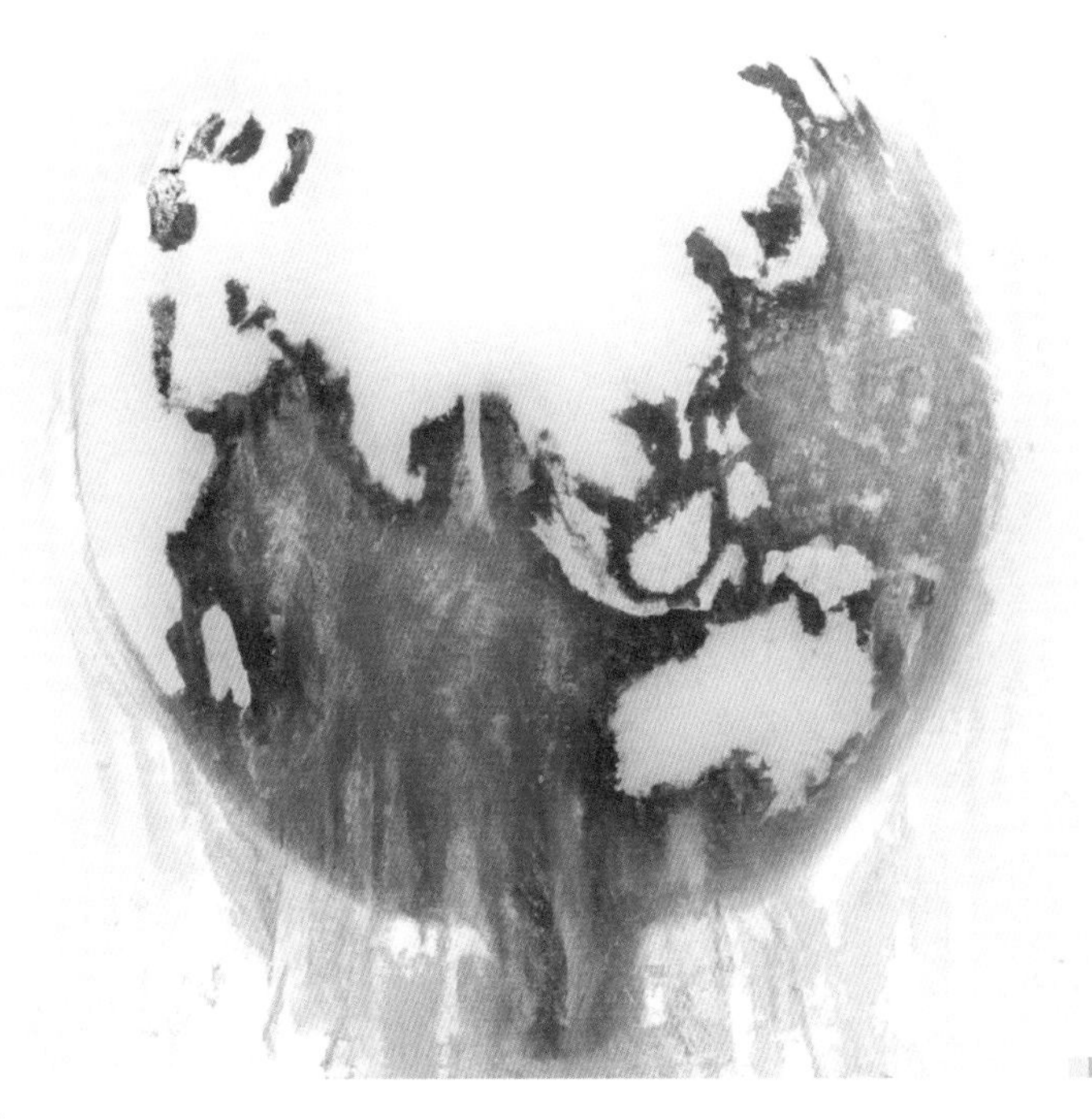

作・DALL・E2

詳しくは本文P67を参照

画像生成 AI「Dream Studio」を試してみる！

「戦争が終わった。暑すぎる夏が来た。街は瓦礫の山となっていた。それでも公園の緑はそのままで、小鳥たちが遊びに来ている。爆撃で家を失った人々が公園で暮らしている」

↓

日本語は受け付けないので、DeepL でプロンプト（指示）を英語に変換。

「The war is over. The summer was too hot. The city was a pile of rubble. Yet, the greenery in the park is still there, and birds are coming to play. People who lost their homes in the bombing were living in the park.」

作・Dream Studio

詳しくは本文 P80 を参照

Photoshop の生成 AI 機能で、
モノクロ写真をカラー写真に変える！

↓

作・Photoshop（ニューラルフィルター）

詳しくは本文 P82 を参照

愛猫のモノクロ写真をカラー化してみたら…「おいおい、ロシアンブルーが茶トラになっちゃった」

作・Photoshop

作・Dream Studio ＋ Photoshop

口絵（P2）の画像にさらにフィルターをかけたら、もはや人が描いたのか、AI が描いたのか区別がつかない

はじめに

世の中はチャットGPT（ChatGPT）やその他の生成ＡＩの話題で持ちきりだ。いったい何が起きているのだろう。そして、われわれは、この大きな流れにどう対処すればいいのだろう。自分だけでなく、子供たちには何をどのように学ばせればいいのだろう。

この本は、還暦過ぎの元プログラマーでサイエンス作家の竹内薫が、チャットGPTと仲良くなりながら、その他の生成ＡＩや機械翻訳ツールを実践的に使いこなす方法について書いたものだ。

主に生成ＡＩをあつかうが、職業柄、機械翻訳ツールも仕事で使っているし、また、写真撮影が趣味なので、ＡＩによる画像処理などについても書いてみた。

私は10年ほど前から「ＡＩに仕事を奪われない教育」を掲げて、横浜と東京でフリースクールを運営している。そして、「ＡＩに負けない人材作り」について全国を巡り、企業や学校で講演をしている。

私自身は大学院で物理学を専攻し、30代はプログラマーとして生計を立てていた。最近のＡＩのキーワードであるディープラーニングも、自分でプログラムを組んで遊んでいたことがある（開発の専門家というわけではない）。

そんな私が、なぜＡＩ時代のための教育をやったり、講演会をやったりしているのかといえば、自分の子供を初めとした「次世代」を担う人材に、ＡＩに「こき使われる」悲惨な未来を迎えてほしくないからだ。

いまでも日本は、収入などの面で二極化が進みつつあり、国民の多くは幸福感を得られないでいる。そして、社会のＡＩ化が進めば進むほど、この分断は大きくなると私は考えている。

私の学校に通ってくれている生徒たちは、ＡＩ時代を確実に生き残ることができる。すでに卒業生が中学や高校に進学しているが、進学後の生徒たちの姿を見ていても、通常の教育では得られない「ＡＩ時代を生き抜くための本質」を学んでくれたのだなと、実感している。

偏差値が高くても、学歴を身につけても、資格をたくさん取っても、ＡＩに負ける人は負ける。いったいどうすればいいのだろう。

この本で私は、難しい理屈ではなく、具体的に何をすればいいかを実践してみた。もちろん、新聞やテレビに登場する生成AIのキーワードについては、その意味をかいつまんで説明したが、正直、「習うより慣れろ」でどんどん生成AIを使ってみるのが、生き残るコツをつかむための最短の方法だと思うのだ。

題名と帯からして誤解を生みそうだが、これは、生成AIが考えたものではなく、正真正銘、人間の竹内薫が思いついたものだ。でも、試しにチャットGPTにこんな質問を投げかけてみよう。

「生成AIを使いこなすための本の題名をいくつか考えてください」

1.「深層学習の入門：生成AIの世界へのガイド」
2.「GANからBERTまで：生成AIの最新技術の解説」
3.「GANを中心とした生成AIの全体像：理論から応用まで」
4.「生成AIを用いたアート作品制作：アルゴリズムがもたらす創造性の可能性」
5.「生成AIとエンターテイメント産業：映像、音楽、ゲームの分野での応用」
6.「生成AIの倫理と社会的影響：技術の進歩と社会の課題に向き合う」
7.「生成AIを活用したビジネス戦略：企業競争力を高める新たな手段」

いやあ、アート、エンタテインメント、ビジネスなど、ずらりと題名候補があがってきましたな。7個もいらないよ。

で、せっかくだけど、真面目すぎるので、すべて、却下。いやはや。

なお、この本では、チャットGPTにさまざまな問いかけをするが、同時に人間のエキスパートにも同様の質問をしてみた（最終章を参照）。ルポルタージュという本のジャンルがあるが、この本は、実は、AI代表と人類代表に「記者」である竹内薫が突撃取材を敢行したルポなのかもしれない……。

まずは、適度に肩の力を抜いて、生成ＡＩで遊んでみましょうや。

２０２３年７月

ＧＷ中、ずっと生成ＡＩと絡みっぱなしだった　竹内　薫

目次

Chapter 1

チャットGPTがやって来た！

Chapter 2

チャットＧＰＴはこう使え！

Chapter 3

画像や写真を生成するＡＩ

Chapter 4

自動翻訳AIは世界の言語の壁をなくす！

Chapter 5

チャットGPTを騙してみる

ブックデザイン　山之口正和＋齋藤友貴（OKIKATA）
イラスト　井上智陽
図　版　浅田恵理子
写　真　REX／アフロ

Chapter 1

チャットGPTがやって来た！

2022年11月に突如、まるで異星人のごとく地球に現れたチャットGPT。世界を席巻しているが、なぜ今、チャットGPTなのか。誰がどう使うべきツールなのか。リスクはないのか。使う際の留意点はなにか。

この章では、話題のチャットGPTの背景と実践例を見ていきたい。

竹内薫は何者か、聞いてみた

チャットGPTの「チャット」は「おしゃべり」とか「楽しい会話」みたいな意味である。GPTは「Generative Pre-traind Transformer」の略で、インターネット上に存在する大量のデータを学習して、自然な文章を生成できる言語モデル。チャットGPTは、文字通り、対話型の生成AIなのだ。対話することにより、文章を生成してくれる。

え？　これまでのグーグル検索とは何が違うの？

ええと、検索は、あらかじめ人間が知っていることをさらに深く調べるためにやる行為だが、チャットGPTは、AIとおしゃべりをするだけで、いろいろなことを教えてくれる。

グーグル検索なら…

グーグルで「竹内薫　サイエス作家」と入力すると、関連サイトなどが表示される。

たとえば、この本の作者の竹内薫について知りたいのであれば、グーグル検索では、

「竹内薫　サイエンス作家」

と入力すると、オフィシャルサイトやウィキペディアやプロフィール画像が出てくる。

このリストの中から、人間が選んでクリックし、さらに該当ページに飛んでくわしく正確な情報を取りに行く必要がある（前ページ参照）。

だが、チャットＧＰＴであれば、

「サイエンス作家の竹内薫ってどんな人？」

という質問をすると、こんな答えが返ってくるのだ。

竹内薫（たけうち かおる）は、日本のサイエンス作家であり、科学ジャーナリストです。１９５１年に生まれ、早稲田大学理工学部物理学科を卒業し、１９８１年に論文「タングステン・ワイヤー・ラジオノードの構築と性能評価」で工学博士を取

ChatGPT に聞いてみると…

ChatGPT

サイエンス作家の竹内薫ってどんな人？ 

Free Research Preview. ChatGPT may produce inaccurate information about people, places, or facts. ChatGPT May 24 Version

⇓

得しています。
竹内薫は、テレビやラジオ番組の解説者や、科学雑誌の執筆者として活躍しています。
（中略）竹内薫は、科学の分野において多数の賞を受賞しており、代表作には、『量子力学の世界』『相対性理論の世界』『宇宙の起源』などがあります。また、彼女は、科学に関する啓発活動に尽力し、若い世代に科学の面白さを伝えるための取り組みも行っています。

（※最初のチャットの結果）

あちゃ〜、いろいろとおかしなことが書いてありますねぇ。私は1960年生まれの男性だし、卒業した大学も違うし、論文名も異なる。これは、同姓同名の人とこんがらがったのかな？　一度も賞なんかもらったことないし、著作の名前もだいぶ間違っている！

まあ、もっと著名な人であれば、たくさん学習しているから、間違いも少ないのだろう。そこで、👎（親指を下に向けたダメ出し）のマークを押して、チャットGPTに私から正しい情報を送ってみる。すると、こんな改善案が出てきた（ざっと飛ばし読みしてください。以下、チャットGPTの引用部分は、常にざっと見るだけでかまいません）。

竹内薫（たけうち かおる）は、日本のサイエンスライターおよびサイエンスコミュニケーターです。1960年に生まれ、京都大学で物理学を専攻しました。卒業後、科学ライターとしてのキャリアをスタートさせ、科学雑誌や新聞、書籍などで科学に関する記事や解説を執筆しました。
彼の著書は、科学の基礎から最新の研究成果までを幅広くカバーしており、物理学、宇宙科学、量子力学、宇宙生物学、脳科学などのテーマを取り上げています。竹内の文章は、科学を専門家として深く理解している一方で、一般読者にも分かりやすく伝えるスタイルが特徴です。
竹内薫はまた、テレビ番組やラジオ番組に出演し、科学に関する知識や興味深い話題を広く紹介しています。
竹内薫は、科学の普及と啓蒙に長年取り組んできたサイエンス作家であり、科学を身近に感じられるように努力しています。

まだ、卒業した大学名は間違っているが、だいぶ内容は、まともになってきた。という

Chat GPT の登録・利用方法

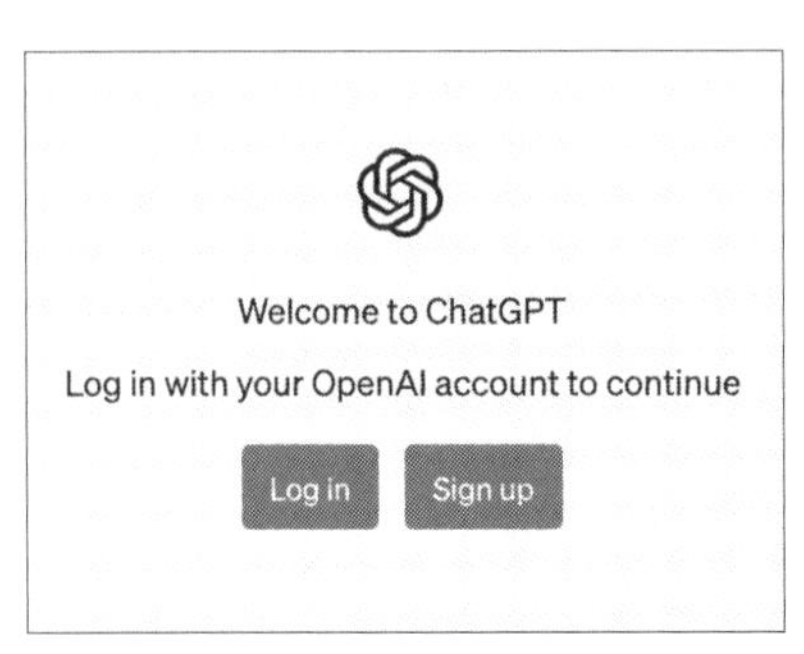

①ChatGPTのサイト（https://chat.openai.com）にアクセスすると、上の画面となるので、初めての人は「Sign up」から登録。

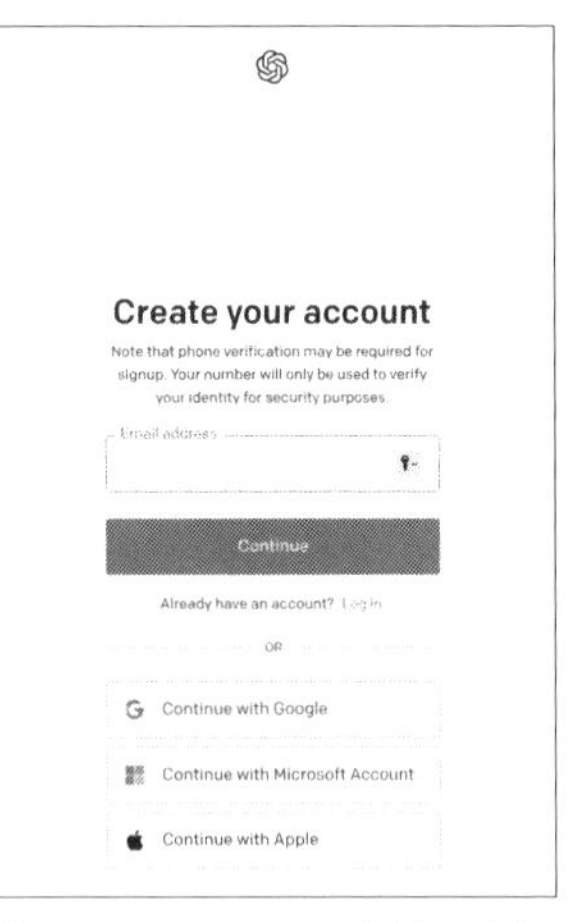

②メールアドレス、名前、生年月日などを登録して認証されると、次からメールアドレスで「Log in」できる。

③「Send a message」とある下の空欄に、聞きたいことを入力してチャットスタート！　もちろん、日本語をそのまま入力すればOK！

か、言葉は悪いが「おべっか」みたいな表現も出てきましたね（笑）。間違ってごめんね、というような感じなのか？

と、まあ、こんな具合にチャットGPTは、学習を重ねることで、答えの精度があがっていく。

（※チャットGPTへのアクセス、利用方法は前ページを参照してください）

どんな仕組みでチャットGPTは動いている？

それにしても、いったい、どんな仕組みでチャットGPTは動いているのだろうか。

ちょっくらキーワードをあげてみると、次のようになる。

1　ディープラーニング
2　生成AI
3　大規模言語モデル

ディープラーニングは何がディープなのか

まず第一に、チャットGPTは、大枠では「ディープラーニング」という手法で機械学習する人工知能（Artificial Intelligence＝ＡＩ）の一種だ。

ディープラーニングは日本語だと「深層学習」。その名のごとく、層が深くなっている。

え？　層って、どういうこと？

そもそもディープラーニングは、人間の脳の神経細胞（ニューロン）のつながり方を真似ている。人間は、脳の神経細胞同士が強くつながったり、弱くつながったりしながら、いろいろなことを学習する。図をご覧ください。

たとえば目から猫の画像が入ってきたとしよう。それが入力信号だ。その信号が、さまざまな強さでつながった神経細胞を通り抜けると、あーら不思議、人は「これは猫だ」という言葉を発するのである。それが出力信号だ。

入力と神経細胞の「つながり方」と出力。これだけである（次ページ参照）。

人間の脳の神経細胞

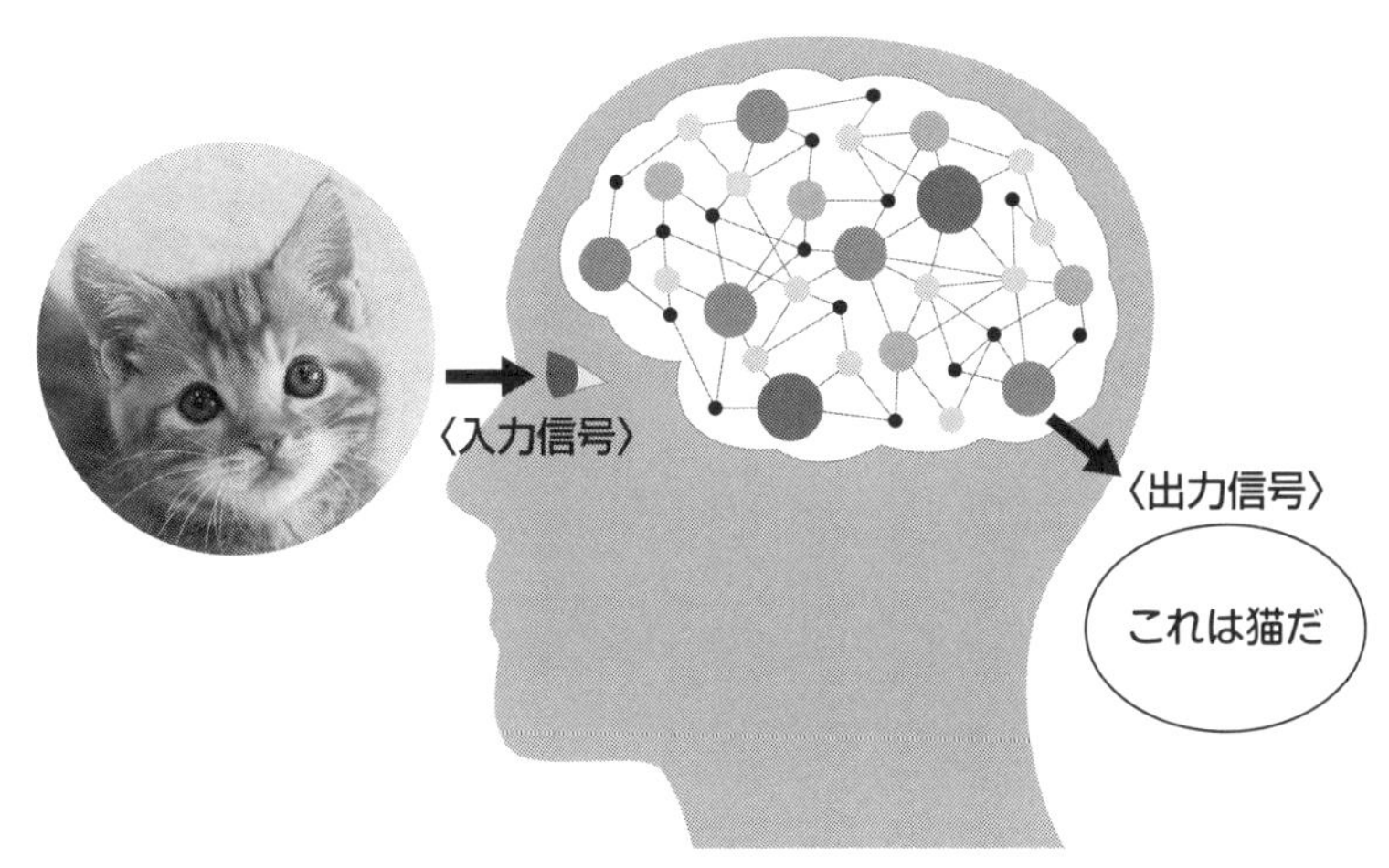

人間の脳は、神経細胞（ニューロン）と神経回路網（シナプス）で構成され、入力情報を伝達する中で「猫」を認識し学習する。

神経細胞同士のつながり方の強弱だけで、なぜ、人は猫を認識できるのかと言われれば、たしかに不思議ではある。でも、それで万事、うまくいくのだ。それが「学習する」ということなのだ。

とにかく、おおざっぱではあるが、人間は何度も間違えながら、たくさんの猫の画像を見て、学習していく。AIは、そんな人間の脳の学習を真似しているわけだ。

ポイント：ディープラーニングは人間の学習を真似している

ジェフリー・ヒントン。

1947年生まれのコンピュータ科学と認知心理学の専門家。ニューラルネットワークの研究を行い、2006年にディープラーニングの原理を発見した人工知能（AI）研究の第一人者。トロント大学名誉教授。

彼は10年ほど、グーグルでも非常勤で研究に携わってきたが、グーグルに関わらない立場でAIの危険性に警鐘を鳴らすためとして、2023年5月にグーグルを離れた。

AIは彼自身やほかの専門家が予想していたよりも急速に進化しているという。そして、「開発は続けるべきだが、それと同じくらいの労力が、AIがもたらす悪影響を抑える、あるいは防ぐため注がれるべきだと考えています」とWIREDの取材に答えている。

ディープラーニングの原型は、20世紀中頃の「ニューラルネットワーク」まで遡ることができるが、ディープラーニングの発明者として名前があがるのは、ジェフリー・ヒントンだろう。彼はコンピュータ科学と認知心理学の専門家で、２００６年にディープラーニングの原理を発見した、知の英雄だ。

次ページの図をご覧ください。原型のニューラルネットワークとディープラーニングの違いを模式的に描いてみた。そう、もうお気づきのように、違いは、中間層にある。この「層」がやたらと深くなったのが深層学習、すなわちディープラーニングなのだ。

なぜ、層が深くなると、とたんにＡＩが実用的になるのか、これまた不思議ではあるが、世の中には、量の変化が、あるところまで来ると、突然、質的な変化につながることは多い。

たとえば、投票率がある閾値（いきち）を超えると、突然、政権交代につながったり、勉強量があるレベルを超えると、これまで不合格だったのが合格になるとか。そして、ニューラルネットワークの層が厚くなると、ディープラーニングが可能になる。

ニューラルネットワーク

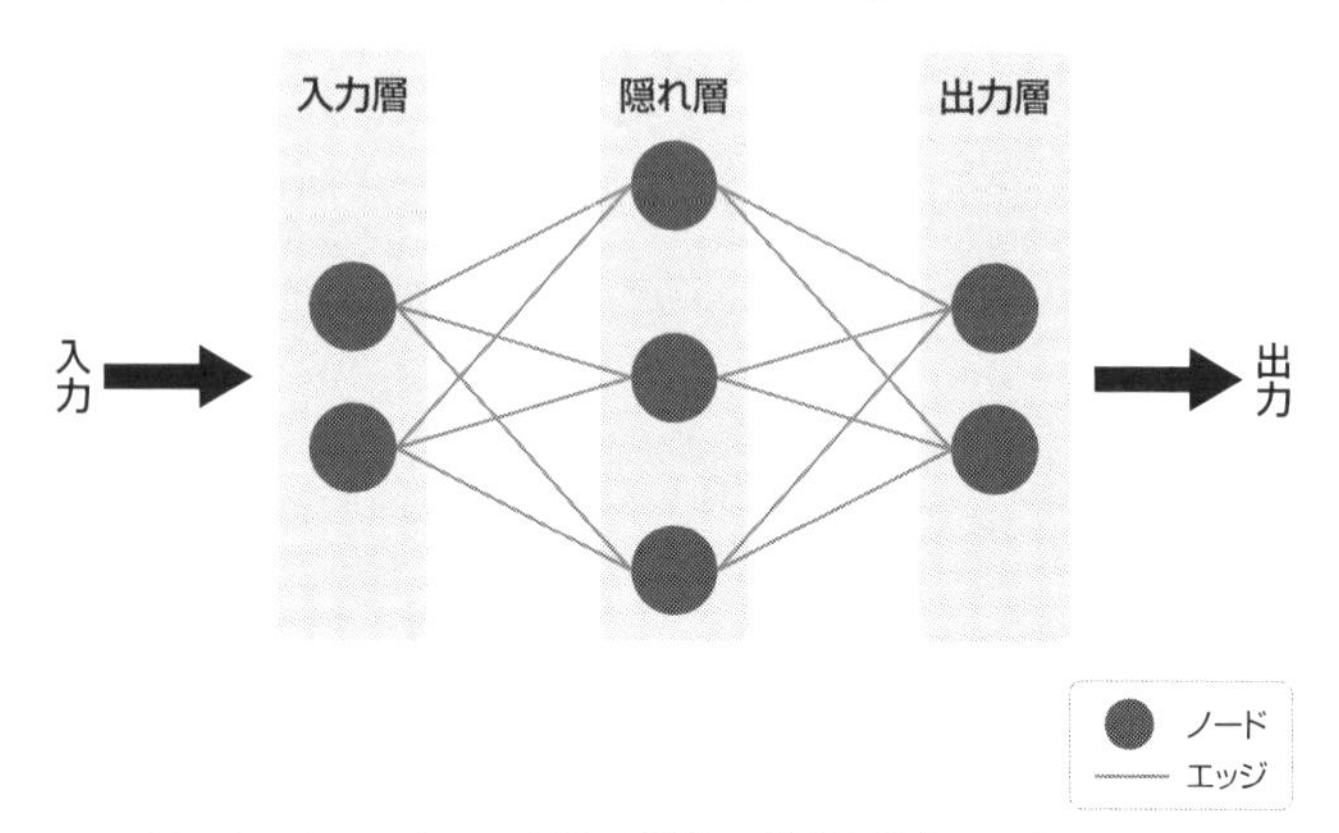

ニューラルネットワークは、人間の脳神経の構造を模倣した作りになっている。上図は、入力層、中間層（隠れ層）、出力層の３層構造で、層から層へ値を変換して計算される。

ディープラーニング

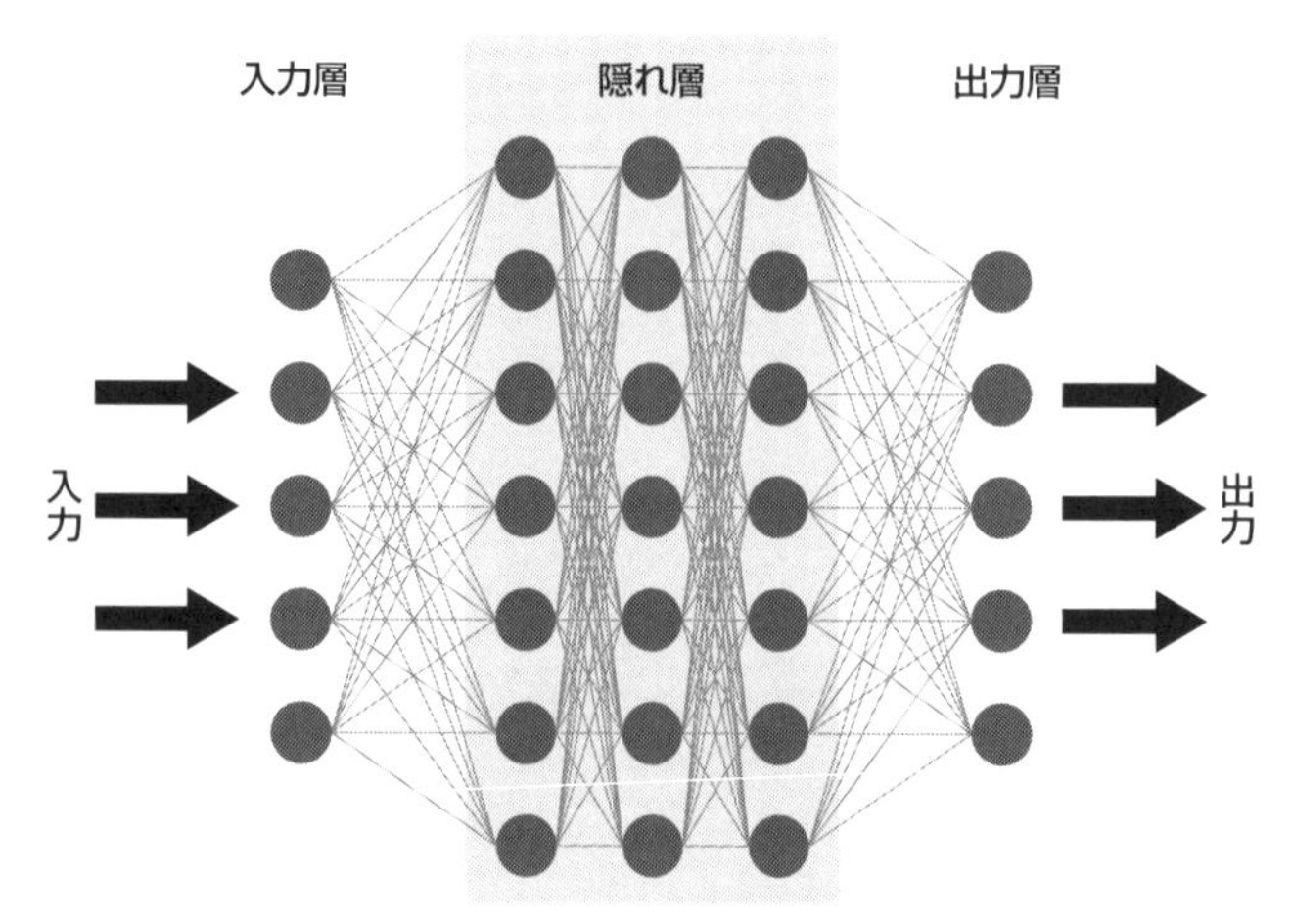

層の数が多くなったディープラーニング（深層学習）では、「画像認識」「音声処理」「自然言語処理」「ロボットによる異常探知」など、複雑な情報に対応した分析ができるようになった。

グーグルの猫（2012年）の衝撃

もちろん、2006年を境に、AIが急に世界中に普及したわけではないが、いくつか節目の年はあった。たとえば2012年にグーグルの研究所が「たくさんの猫の画像を学習させたらAIが猫を認識するようになった」と発表して大騒ぎになった。猫の耳が尖っているとか、怒るとシャアと人を威嚇する、というような情報を人間が一切、与えずに、ひたすら画像を学習させていたら、猫と犬と人間の区別がつくようになった、というわけだ。

このグーグルの猫は、ルイス・キャロルの名作『不思議の国のアリス』に出てくるチェシャ猫や、物理学の論文で有名になったシュレディンガーの猫と並んで、世界三大猫と呼ばれるようになった。

冗談はさておき、グーグルの猫の論文を読んだとき、私は大きな衝撃を受けた。ああ、とうとうAIがここまで来たのかと感動したのである。そして、そこから約10年で、世界

グーグルのAIが認識した猫（2012年）

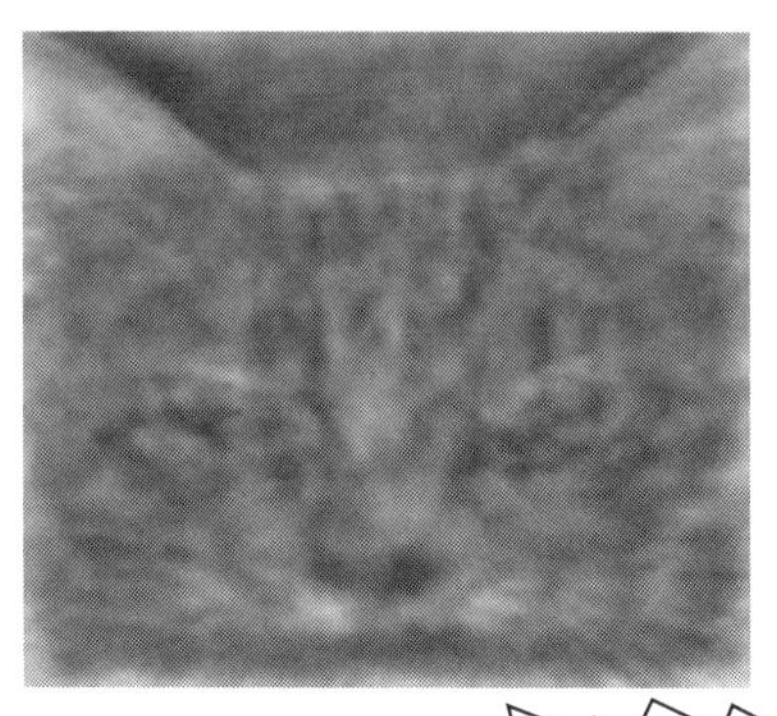

AIが自分で猫の特徴を見つけ出し、猫の顔を認識する仕組みを自ら獲得した。

1000万枚の画像を1000台のパソコンに見せて、3日間学習させ続けた。

「猫の顔の特徴」は、AIに事前に教えない。

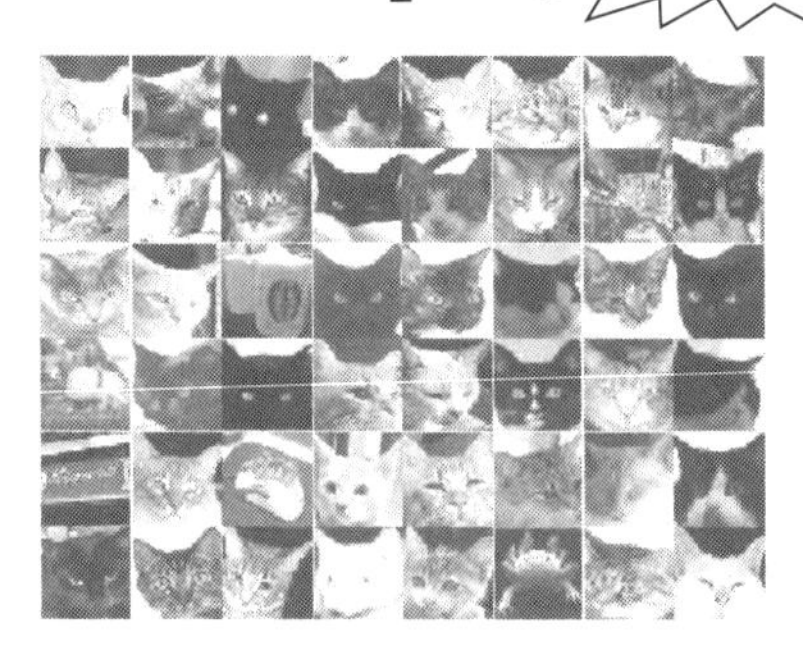

中の人々がチャットＧＰＴの出現により衝撃を受けることとなる。

ＡＩによって消える職業、残る職業

２０１３年には、オックスフォード大学のカール・フレイ博士とマイケル・オズボーン准教授による「雇用の未来：コンピュータ化の影響を受けやすい職種とは？（The Future of Employment: How susceptible are jobs to computerisation?）」という論文が出て、「タクシー運転手や銀行窓口の仕事がＡＩに取って代わられるぞ！」と話題になった。

２０１５年には、野村総合研究所が、フレイ博士とオズボーン准教授との共同研究で、「日本の労働人口の49％が人工知能やロボット等で代替可能に」なると、国内６０１種類の職業についてコンピュータによる代替確率を発表した（次ページ参照）。この衝撃は大きく、鎖国状態に近かった日本も、ＡＩ開国を余儀なくされたのだった。

10～20年後、AIによって「なくなる可能性がある仕事」

1. 一般事務員
2. 銀行員
3. 警備員
4. 建設作業員
5. スーパー・コンビニ店員
6. タクシー運転手
7. 電車運転士
8. ライター
9. 集金人
10. ホテル客室係・ホテルのフロントマン
11. 工場勤務者
12. 薬剤師

10～20年後、AIが発達しても「なくならない仕事」

1. ITエンジニア
2. 営業職
3. データサイエンティスト
4. 介護職
5. カウンセラー
6. コンサルタント
7. 教師

2015年、米オックスフォード大学と野村総研が、日本における601種の職業がAIやロボットに代替される確率を試算したところ、このような結果が出た。

この論文から8年、このとき指摘された「なくなる可能性がある仕事」も、現在なくなっているわけではないが、これらの仕事に限らず多くの場面でAIやロボットが急速に人間に置き換わっていることは否めない。

AI研究が当然となった、先進的な将棋の世界

ＡＩに関連して、特筆すべき分野がある。それは日本の将棋だ。

いまや、将棋のプロ棋士のほとんどがＡＩで研究するようになってしまった。いま、「なってしまった」と書いたが、実は、将棋のプロ棋士たちは、われわれに大いなるヒントを与えてくれている。

彼ら彼女らは、積極的にＡＩを取り入れて、10年前には考えられなかったほど、プロの将棋のレベルが上がっている。そして、ＡＩを敵視するのではなく、「相棒」として迎え入れつつも、主導権は常に人間が握っている。実際、事前研究でＡＩを駆使したとしても、本番の対局は、あくまでも生身の棋士が臨むのであり、対局中にＡＩの助けを借りたらルール違反で罰せられる。

「相棒として積極的に活用することで人間の技術も飛躍的に向上するが、最後の最後は人間がやる」という構図は、そのまま、他のＡＩと人間の関係にもあてはまる。その意味で、将棋界は、人類の未来を先取りしているように見える。

生成ＡＩってなに？

さて、第2のキーワードに話を移そう。

チャットＧＰＴは、生成ＡＩの一種で、生成ＡＩはディープラーニングの一種だ。

この本では、とにかく生成ＡＩを使いこなすことに主眼をおいているので、生成ＡＩの一種であるチャットＧＰＴに「**生成ＡＩってなに？**」という質問を投げかけてみよう。

すると、こんな答えが返ってきた。

「生成ＡＩってなに？」

生成ＡＩ（Generative AI）は、機械学習の分野で、人工知能システムが自動的にデータを生成する技術のことを指します。生成ＡＩには、画像、音声、文章などの様々な種類があります。

生成ＡＩは、訓練データから学習し、そのデータに基づいて新しいデータを生成することができます。生成AIは、創造的なタスクに活用されることが多く、例えば、新しいデザインや芸術作品の創造（中略）などに使われています。

ほぉ、生成ＡＩが生成ＡＩの説明を生成したわけだ。なんだか、頭がこんがらがってくる。

ここで頭に入れておいてほしいのは、「人工知能システムが自動的にデータを生成する技術」という点だ。

で、しつこいようだが、チャットＧＰＴが生成ＡＩである点も、きちんと確かめておきたい。質問してみよう。

「ChatGPTは生成ＡＩですか？」

はい、ChatGPTは生成AIの一種です。ChatGPTは、OpenAIが開発した大規模言語モデルの一つであり、自然言語生成タスクに特化しています。ChatGPTは、トランスフォーマーアーキテクチャを使用しており、大量のテキストデータを学習し

て自然言語の理解と生成の能力を獲得します。（以下略）

いきなり、難しいキーワードが登場した。「大規模言語モデル」？？？　いったい、これはなんであろうか？

大規模言語モデルとは？

なんだか、チャットGPT先生に次々と質問を繰り出す小学生みたいになってしまっているが、知ったかぶりをしても仕方ないので、「大規模言語モデルが何なのか？」も質問してみる。

大規模言語モデル（Large Language Model）は、（中略）大量のテキストデータを学習して、自然言語の理解や生成の能力を獲得します。

大規模言語モデルは、通常、数億から数十億のパラメータを持つ深層学習モデルです。（中略）

大規模言語モデルは、自然言語処理のさまざまな応用において驚異的な成果を上げており、自動要約、対話システム、翻訳、質問応答などの領域で広く活用されています。

徐々に訳がわからなくなりつつあるが、ご心配は無用。

AI開発に専門的に携わろうというのであれば、当然、専門論文や専門書を読む必要があるが、私とこの本の読者であるあなたにとっては、おおまかな全体像がイメージできればそれで事足りる。われわれは、研究開発者ではなく、顧客（ユーザー）なのであるから。チャットGPTを含む生成AIは、大規模なパラメータ（変数）をもつディープラーニングの一種で、自動的に文章や画像などのデータを生成してくれる便利なやつ。だから、この本を書くのも手伝ってくれているし、全世界で1億人の人が使い始めている（2023年5月時点）。

さて、ここで、「生成AIは、創造的なタスクに活用されることが多く、例えば、新しいデザインや芸術作品の創造（中略）などに使われています」という部分に注目してもらいたい。

あれ？　生成AIが生成したものは、あくまでも何かのマネであって、創造とは言えないのでは？　実際、生成ＡＩが著作権を侵しているとして、たしかイラストレーターたちが裁判所に提訴していなかったか？（87ページ参照）

のちほど、詳しく考えることにするが、生成ＡＩのオリジナリティについて、人類は、鋭意、議論中なのである。

生成ＡＩの問題点

世界各国も生成ＡＩの急激な進歩には戦々恐々としており、一部、パニック状態に陥っているようにも見える。そのため、国により、規制に対するスタンスも大きく異なる（左表）。

生成ＡＩ自身は、自らの問題点をどうとらえているのだろう。答えを生成してもらおうではないか。

世界主要国の生成AI規制状況

アメリカ
- AI生成画像に著作権なし。米著作権局が通告「**プロンプトは画家への注文のようなもの**」（2023年3月17日）
- 米国著作権局、**AI生成コンテンツの著作権は認めない方針を発表**（2023年3月20日）
- 米国、ChatGPTのようなAIのルールを検討（2023年4月12日）

EU
- 欧州議会、AIの使用をめぐる**厳しい措置**を準備（2023年4月15日）

イギリス
- AI規制として「**責任ある使用**」を求める一方で、技術革新を阻害する「強引な法律」の導入は避ける方針を明記した「人工知能業界向けのAI白書」をイギリス政府が発行（2023年3月30日）

イタリア
- イタリアのデータ保護機関、OpenAIにChatGPTの規制撤回条件を提示（2023年4月14日）
- イタリアでのChatGPTの一時的な使用禁止措置を解除

中国
- 中国対話式AIの**規制案**公表“社会主義の価値観反映を”
- 中国が画像生成AIの画像に「**AI生成マークの表示**」を義務化＆AIユーザーも**実名登録制**へ

韓国
- メッセンジャーアプリ「カカオトーク」の運営会社が自作スタンプ市場でのAI製作品の登録を制限（2023年4月3日）

日本
- 政府のＡＩ戦略会議（有識者）が「AIに関する暫定的な論点整理」を発表（2023年5月26日）

（各国報道より）

生成ＡＩには、以下のような問題点があります。

1．〔偽物の生成〕生成ＡＩは、本物とほとんど区別できないようにデザインされています。しかし、完全に本物と区別できないような偽物を生成することができます。これにより、デジタル偽造や詐欺などの問題が引き起こされる可能性があります。

2．〔バイアス〕生成ＡＩは、訓練データに基づいて作成されます。つまり、訓練データに人種や性別などの属性に基づくバイアスが存在する場合、生成ＡＩが偏った結果を出す可能性があります。

3．〔データのプライバシー〕生成ＡＩは、訓練データを必要とします。つまり、個人情報などのデータが含まれる場合、生成ＡＩによってそのデータが不正に使用される可能性があります。（中略）　　　　〔〔　〕は編集部〕

偽物といえば、この本の執筆時点で、アメリカのトランプ前大統領が逮捕されている画像がフェイクニュースとして流れていて、大きな話題になっている。

さすがにトランプさんともなれば、すぐに生成ＡＩの作った偽物だとわかるわけだが、今後、あらゆる詐欺師たちが、この分野に群がってくることが予想されますね。また、現在進行形のロシアによるウクライナ侵攻においても、今後、生成ＡＩの偽画像がプロパガンダとして登場するでしょう。

いやはや、物騒な時代になったものです。

2023年３月23日、画像生成 AI ソフトを利用して作られたフェイク画像とともに「トランプ前大統領が逮捕された」とツイートされた。投稿したユーザーはソフトの利用禁止処分を受けた。

AIは日々、進化している

ところで、本書作成の佳境にはいった7月に、改めて最初の質問「サイエンス作家の竹内薫ってどんな人?」をしてみた。するとチャットGPTは、これまでとはまったく違う答えを返してきた。

申し訳ありませんが、私の知識の範囲では、サイエンス作家の竹内薫さんについて具体的な情報は提供できません。(中略)私のトレーニングデータにはそのような情報が含まれていません。

一般的なアプローチとしては、竹内薫さんの書籍や記事、ウェブサイトなどでその経歴や業績について調査することをおすすめします。(以下略)

これはチャットGPTなどのAIが、ネット上の個人情報を勝手に探し出して使っているのではないか、といった批判に即座に対応したのかもしれない。AIの学習速度、進化のスピードはものすごい。たとえば、あなたの専門分野の質問にまともに答えられなかったとしても、翌日、あるいは1週間後にはきちんとした答えを返してくるだろう。ＡＩは日々、進化しているのだから。

Chapter

2

チャットGPTはこう使え!

チャットGPTに「どのように問いかけるか」プロンプト・エンジニアの人材が求められる

ここまで、チャットGPTにさまざまな問いかけをしながら生成AIの仕組みをのぞいてきたが、チャットGPTに「どのように問いかけるか」というスキルは、ちょっと大げさだが、「プロンプト・エンジニアリング」と呼ばれている。プロンプトとは、英語で「促す」という意味。パソコンの画面でどこかのサイトに入ろうとするときにIDとパスワードを入れることを「促される」が、アレのことである。

チャットGPTに限らず、生成AIであれば、まさに促されて、どのような入力をするかで、出力結果が大きく異なってくる可能性があるので、的確な入力をする必要がある。

警察の取調室で、被疑者との良い関係性を築いて、的確な質問ができれば、犯人しか知らない情報をゲットできるかもしれない。まるで、そんな雰囲気が漂うが、将来的には、コンピュータに命令を与えるプログラマーと並んで、生成AIに的確な命令ができるプロンプト・エンジニアが、どのような企業でも求められる人材になると言われている。

プログラマーは生き残れるのか？
（デジタル・ネイティブの中学生が授業で教わるチャットGPTの使い方）

実は、将来的に、プロンプト・エンジニアの重要性は増すが、プログラマーは必要なくなる、とも言われている。

え？　生成AIだってプログラムの一種なんでしょ？　どうして、プログラマーが必要なくなるの？　代わりに生成AIがプログラムを書いてくれるとでも言うの？

はい、半分、正解です。

生成AIが生成AIのプログラムを書くことができるようになるかどうかは、まだまだ先の話だと思うし、機械学習をさせるのも人間でないとダメな可能性があるが、時が満ちれば、すべて生成AIが牛耳るようになるかもしれない。ただ、現時点で、ちまたのプログラミング教室で教えているような簡単なプログラムは、もう、一字一句、人間が書く必要がなくなってしまったことだけは明白だ。

たとえば、私は中学1年生のプログラミングと数学の授業を受け持っているのだが、ある日の授業で、**「円周率をシミュレーションするプログラムをウルフラム言語を用いて書け」**という課題を出した。

え？　円周率って、あの3・14のことですか？　そんなの誰でも知っていますよね。シミュレーションってナンデスカ。

実は、3・14という近似値を憶えることにあまり意味はなく、そもそも「円周率とはなんぞや？」と考えるのが授業の目的なのです。そこで、まずは一辺の長さが2の正方形を思い浮かべてみる。その面積はどうなるだろう？

簡単だ。縦も横も長さが2だから、2×2＝4、つまり面積は4になる。

次に、その正方形の中にぴったりと収まる円を描いてみよう。この円の面積はどうなるだろう？　もちろん、正方形の中にハマっているのだから、4よりは小さい。では、どれくらい小さいのか？

実は、答えは約3・14であり、それこそが、円周率の意味なのだ（もっと正確に言うと、

モンテカルロ法で円周率を出す

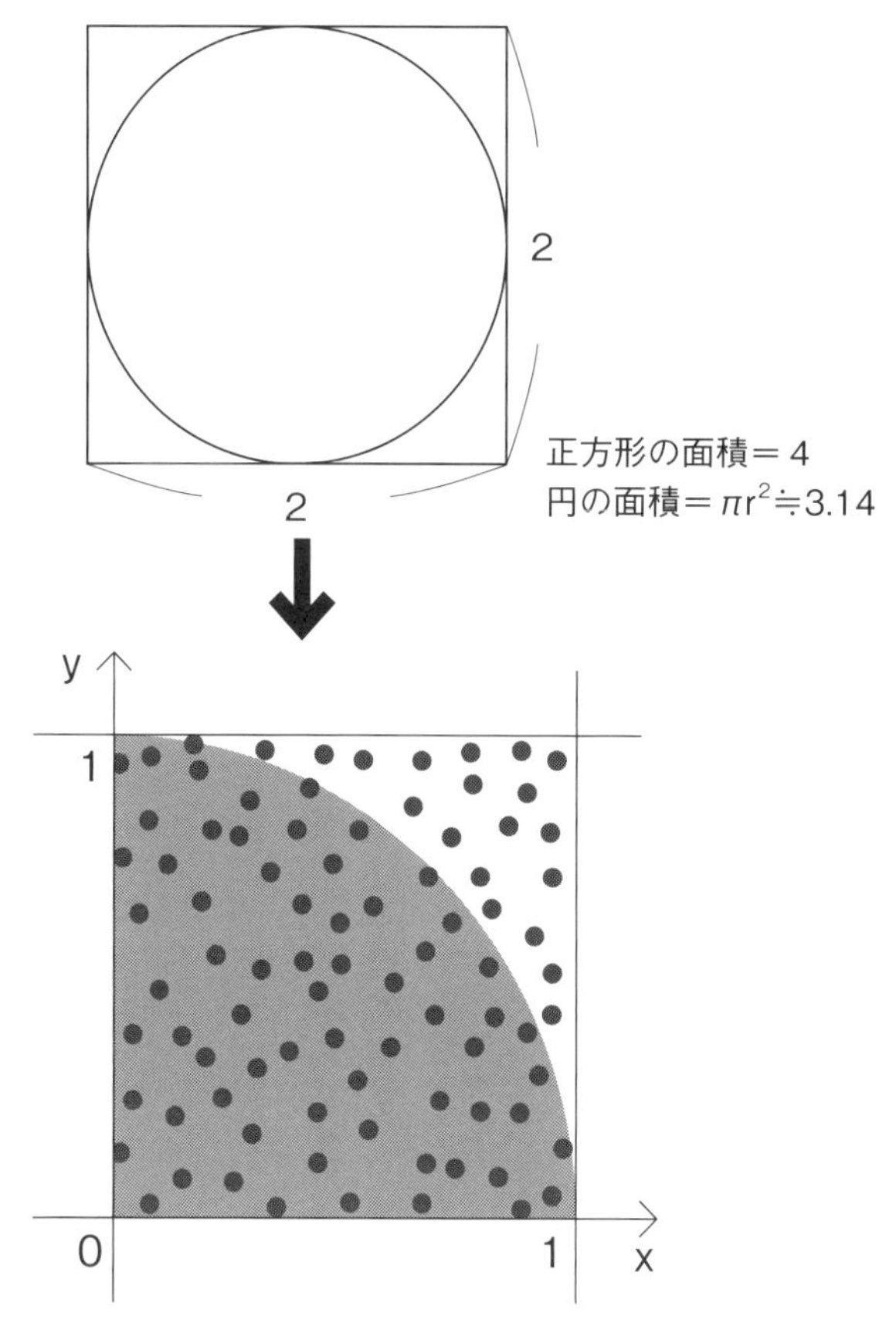

グラフの正方形の中に、ランダムに点を打っていき、円の面積の中に入る確率をモンテカルロ法で求める（コンピュータに計算させる）。数万の点をランダムに置いたとき、πの推定量は約3.14となる。

正方形の周囲の長さに対して、中にハマっている円の円周がどれくらいの率であるか、ということだけれど、ここでは面積で話をしている）。

で、正方形の4に対して円が3・14だということをコンピュータでシミュレートする定番の方法があるのだ。その名も「モンテカルロ法」。まるでカジノの賭けのようにして円周率を求める魔法のような方法で、コンピュータ・オタクなら誰でも知っている。

具体的には、正方形とその中にハマっている円を描いて、上から細かいビーズをたくさんばらまく。たとえば正方形の中にビーズが400個入っていて、そのうち、円の中に315個入っていたら、円周率がだいたい3・15だとわかる。

え？　そんな難しいこと、なんでビジネスマン（または、保護者、数学以外の教師、リスキリング中の人…）や私たちが理解する必要があるわけ？　この本、ちょっと難し過ぎない？

もっともな疑問だと思います。

でも、私の答えとしては、

「デジタル・ネイティブの中学1年生がふつうに授業で教わっているチャットGPTの使い方が理解できずに、あなたは、いまから10年後、食いっぱぐれずに生き残ることができますか？」

と問いかけたい。

なんでもかんでも生成ＡＩが生成してくれるようになったとき、人類に残っている武器は、「めんどくさがらずに納得するまで考えること」や「身も心もさらけ出して、思いっきり感じること」しかない。なぜなら、この2つは、心や意識を持っていない生成ＡＩには決してできない、人間固有のいとなみだから。

などと、警鐘を鳴らしてみましたが、中1の数学の授業に戻ろう。

私の生徒たちは、実は、ウルフラム言語を少しは使うことができるが、いきなりこんな難しい課題を出されても困ってしまう。

ウルフラム言語というのは、数学とコンピュータの天才スティーブ・ウルフラムが考案したコンピュータ言語で、あらゆる数学の問題を解くことができる。完全に数学に特化した言語なので、中学の数学の授業にぴったりなのだ。

ネットでは「Wolfram Cloud」という無料サービスがあり、誰でも、登録して使うことができる（ちなみに、私は有料版のWolfram Oneを使っている）。

ウルフラム言語は、それなりに使うのが難しいので、先ほどの課題を聞いて、私の生徒たちも、キョトンとした目つきで私を見ている。それで、私はこう言い放った。

「チャットGPTにお願いしてみればいいじゃん」

とたんに生徒たちは、わさわさと作業を始めた。自分のパソコンやタブレットを開いて、プロンプト・エンジニアと化したのである。数分後、ほとんどの生徒が、チャットGPTからこんな返答を得た（次ページ参照）。

「円周率をシミュレーションするプログラムをウルフラム言語を用いて書け」

```
n = 1000000; (* number of random points *)
count = 0; (* counter for points within the circle *)

For[i = 1, i ≤ n, i++,
   x = RandomReal[{-1, 1}];
   y = RandomReal[{-1, 1}];
   If[x^2 + y^2 ≤ 1, count++];
]

approxPi = 4.0 count / n; (* approximate value of pi *)

Print["Approximate value of pi: ", approxPi];
```

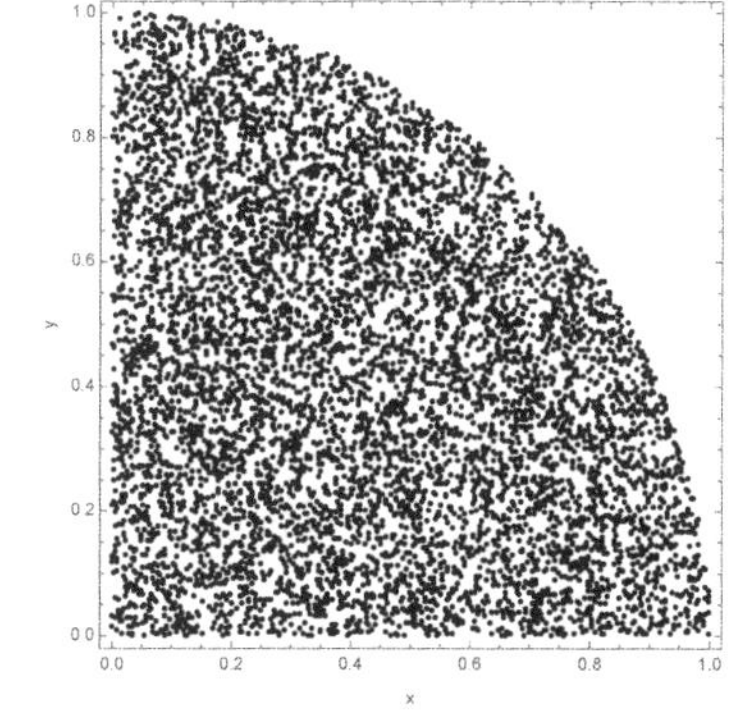

上のプログラムを動かすと、右のような図が描かれ、3.14に近い答えが出る。

大丈夫、心配しないで

えーと、この本は数学プログラミングの本ではないので、これを読解する必要はまったくありません。念のため！

ただ、チャットGPTに教えてもらったこのプログラムを実際にWolfram Cloudで走らせてみると（動かしてみると）、ちゃんと、3・14に近い答えが出るのであ〜る。

私は、数年前まで、プログラミングの授業では、生徒たちにこのようなプログラムをゼロから書くことを求めていたが、今年になって、方針転換をした。

将来、コンピュータ科学で身を立てていくつもりの生徒は別にして、専門家にならないであろう生徒たちには、このプログラムをゼロから書ける能力など必要ではない。そうではなく、「このプログラムが何を計算しようとしているのか」が理解できれば充分なのだ。

たとえば、作家になる必要がないのであれば、作家みたいにゼロから文章を書く能力よりも、新聞や雑誌や書籍の文章を「読解」する能力を養った方がいいではないか？

それと同じで、ゼロからはプログラムを書けないとしても、チャットGPTが出してきたプログラムを実行できて、つまり、Wolfram Cloudを「使う」ことができて、なおかつ、プログラムの内容が「だいたい」わかればいいではないか。

延々と書いてきたが、言いたいことはただ一つ。

ポイント：チャットGPTは、ある程度のコンピュータ・プログラムも生成してくれる

チャットGPTは、ここまで来ている。定番のプログラムを生成するなんてお茶の子さいさい。下手なプログラマーよりもずっと効率よく、必要なプログラムを書いてくれるのだ。

となると、将来、プログラマーの仕事が「減る」可能性は高い。

ただし、ここで強調しておきたいのは、

1　高度なプログラミング技術を持っている人は常に必要

2　生成AIが書いたプログラムを検証できるくらいの「読解」能力は必要

ということ。

1については、結局のところ、高等数学ができないと、高度なプログラムは組めないので、数学とプログラミングの両方のスキルを持つ人間ということになる。2については、さきほどのプロの作家の例と同じで、ある程度の「読解」はできないと困る、ということだ。まあ、国語の受験問題は解けないと困るだろうし、新聞のニュースを読むリテラシーは必要だ。そういうことである。

私は常々、講演会において、「AI時代になれば、コンピュータ・プログラムもAIが書くようになるだろう」と述べてきたが、正直に告白すると、もう少し先の話だと、たかをくくっていた。2030年くらいに実現するかなと予想していた。でも、もう、チャットGPTは、(ウルフラム言語であれ、他のコンピュータ言語であれ)あっさりとプログラムを生成してくれてしまう。

未来は駆け足でやってきた。

なんか、一部、浮かぬ顔つきの読者がいて気になるので、補足しますよ〜。
プログラムの「読解」はできないとダメだと書いたが、それは、「プログラマー」を生業とする場合であって、それ以外の人が、ウルオボエだかウルサガタだから知らないが、ナントカ言語のプログラムを読解する必要はありません。
だから、あまり心配しないで。
ただ、あなたの仕事の分野に関係する場合は、その分野のなにがしかの読解力は必要になる。たとえば、チャットGPTが生成してくれた社内文書が適切かどうかを読解する能力とか、チャットGPTによるクライアントへの提案をそのまま出しても大丈夫か判断する力など。たいていの場合、そのまま他で利用するとアウトになってしまうので、後から編集する必要がある。後＝ポスト、編集＝エディティングをくっつけて、このような作業を「ポスト・エディティング」と呼んでいる。

チャットGPTはこんなふうに使え！

いやいやいや、私は社内でプログラミングなんてやっていないし、チャットGPTなんか業務の役に立たないのではないのか？

そう思った読者も多いだろう。ビジネスパーソンのほとんどは、情報職ではないはずだ。でも、エクセルやパワーポイントなら使う機会は多いのではなかろうか？

そこで、典型的な事務処理の例として、エクセル的な活用事例を見てみたい。

「スプレッドシートの各列に、日本語と英語とポルトガル語で、各行には、身体の部分の名前を15個、教えて。英語とポルトガル語は発音も載せてね」

チャットGPTは、次のようにスプレッドシートを作成してくれた。

この本を書いているのは2023年の5月終わりなので、7月に本が出版される頃には、マイクロソフト社が自社製品にどんどんチャットGPT機能を組み込んでいるはずだ。

これまでは、スプレッドシートを作る作業もそれなりに大変だったわけだが、チャットGPTに作ってもらえば、大幅な時間短縮につながる。それぞれの行と列にどのような項目を入れるかをチャットGPTに指示すれば、あっという間にスプレッドシートのでき上がり。

「スプレッドシートの各列に、日本語と英語とポルトガル語で、各行には、身体の部分の名前を15個、教えて。英語とポルトガル語は発音も載せてね」

了解です。以下のように、各列には日本語、英語、およびポルトガル語で身体の部位の名前を含むスプレッドシートを作成しました。英語とポルトガル語の発音も含めています。

日本語	英語	発音 (英語)	ポルトガル語	発音 (ポルトガル語)
頭	Head	ヘッド	Cabeça	ka-BE-sa
目	Eye	アイ	Olho	OH-lu
耳	Ear	イア	Orelha	oh-RE-lha
鼻	Nose	ノーズ	Nariz	NA-ris
口	Mouth	マウス	Boca	BO-ka
首	Neck	ネック	Pescoço	pe-SKO-su
肩	Shoulder	ショルダー	Ombro	OM-bro
腕	Arm	アーム	Braço	BRA-su
手	Hand	ハンド	Mão	MÃO
指	Finger	フィンガー	Dedo	DE-do
脚	Leg	レッグ	Perna	PER-na
足	Foot	フット	Pé	PE
足先	Toe	トウ	Dedo do pé	DE-do du PE
胸	Chest	チェスト	Peito	PEI-to
背中	Back	バック	Costas	COSS-tas

「スプレッドシートで顧客名簿を作りたい。各列には、顧客の姓名、1月から12月までの請求金額。1行目の顧客の名前は竹内薫で、各月の請求金額は3000円。2行目以降は、空欄のままでいい。行数はとりあえず15行にしてね。」

了解です。以下のように、顧客名簿を作成するためのスプレッドシートを提供いたします。

姓名	1月	2月	3月	4月	5月	6月	7月	8月	9月	10月	11月	12月
竹内薫	3000	3000	3000	3000	3000	3000	3000	3000	3000	3000	3000	3000

上記のスプレッドシートでは、1行目に竹内薫さんの名前と1月から12月までの請求金額（すべて3000円）が記載されています。2行目以降は空欄となっており、15行まで拡張してあります。

必要に応じて、顧客名簿を追加し、各月の請求金額を入力していただけます。また、行数が15行に設定されていますが、必要に応じて行数を増減させることもできます。

このスプレッドシートをダウンロードし、エクセルやGoogle Sheetsなどのソフトウェアで編集して利用してください。

今後10年、会社で生き残れる人

初歩的な例ばかりで恐縮だが、実を言うと、私はあまりエクセルを使ったことがない。そういう職種ではないからだ。だから、これまでは、決算書類の作成などは税理士や社労士といった士業の人に外注してきた。今後もしばらくはそうするつもりだが、数年後には、会計や給与計算の仕事のほとんどを外注せずに、自分でやることができるようになるだろう。言い換えると、チャットＧＰＴが、税理士や社労士の仕事の多くをこなしてくれるようになるわけだ。

そうなると、税理士や社労士の多くは仕事が減る。生き残るのは、電話やメール一本でいろいろと人間ならではの便宜を図ってくれるコンサルタント的な税理士や社労士だけになるはずだ。

会社内で今後、たくさんの配置転換が進むだろう。なにしろ、エクセルに限らず、社内文書の作成なども、生成ＡＩが受け持つ比率が高まり、もはや大勢の人員はいらなくなるからだ。ここではパワーポイントには触れなかったが、もちろん、エクセル同様、かんたんにきれいなプレゼンテーション資料を作ることが可能になってきている。

今後10年、会社で生き残るのは、

1　積極的に生成ＡＩを活用して、仕事の効率を最大化できる人
2　クリエイティブな企画立案ができる人
3　冷静に批判的思考ができる人
4　職場の士気を高める思いやりにあふれた人

になるだろう。2と3と4の人は、生成ＡＩを最大限活用する必要はない。人間にしかできないことをやり続けることで、ＡＩとの棲み分けを目指す人生もあるように思うのだ。

読者は、この4つのタイプのどれに属するだろうか？

Chapter

3

画像や写真を生成するAI

ここでがらりと趣向を変えて、文章ではなく、画像生成ＡＩに話を移そう。言葉を生成するチャットＧＰＴと違って、画像生成ＡＩは文字通り画像を生成するが、実は、原理そのものはあまり差がなかったりする。

ここでは、とにかく画像を生成して、遊んでみよう。

猫のイメージ？ ふーん。（10年前は誰も本気にしていなかったＡＩ）

私は10年前から講演会で、ＡＩの未来について語ってきて、もちろん、画像生成ＡＩの話も盛り込んでいたのだが、あまり会場のウケは良くなかった。サイエンス作家と称する初老の男が、壇上で、本当に実現するかどうかもわからない架空の話をしていると受け止めた聴衆もいたのだ（と思う）。

もし、本当に私の話を信じてくれたなら、会場は興奮と熱気に包まれていただろう（私のプレゼンが下手だっただけかもしれないが！）。

この感覚は、すでに出てきたグーグルの猫の「写真」（ＡＩの「中」の猫の姿かたちの平均値のようなもの）を講演会でお見せしても同じで、ふーん、というように、みんな、狐につままれたような顔をして私の話を聞いていた。

すでに書いたが、私は、グーグルの猫の論文が出たとき、大きな衝撃を受けた。

もともと、プログラマーを生業にしていた30代のとき、ディープラーニングのご先祖にあたるニューラルネットワークで遊んでいたこともあり、その限界もよくわかっていた。だから、しょせんはコンピュータの真似事、人様がやるような複雑で創造的な行為までは真似できない、そんな思い込みがあった。

その思い込みが木っ端微塵に吹き飛んだのだ。１０００万枚の画像を機械的に学習するだけで、ＡＩが「猫」を認識するようになったという事実と、そのＡＩのいわば脳内イメージを目の前に突きつけられたとき、私の中では、「ついにキター！」という言葉しか見つからなかった。

しかし、当時、一般社会への衝撃は少なかった。まだそこまでＡＩが浸透していなかったのだと思う。

一般社会へのインパクトは、やはり、対話型の生成ＡＩであるチャットＧＰＴの登場を待たねばならなかった。

というわけで、いまどき、どんな画像生成ＡＩがあるのかをチャットＧＰＴに尋ねてみよう。

「文章から、画像や写真を生成するＡＩはあるの？」

はい、現在、文章から画像や写真を生成するＡＩが開発されています。この技術は、ＧＡＮ（Generative Adversarial Network〔敵対的生成ネットワーク〕）と呼ばれるニューラルネットワークの一種を使用して実現されています。

ＧＡＮは、２つのニューラルネットワークを相互に競合させ、新しいデータを生成することができます。１つのネットワークは「ジェネレータ」と呼ばれ、ランダムベクトルからデータを生成します。もう１つのネットワークは「ディスクリミネータ」と呼ばれ、本物のデータと生成されたデータを区別します。ジェネレータは、ディスクリミネータが生成されたデータを本物のデータと見分けられないように改善を繰り返します。

文章から画像や写真を生成するＡＩも、このＧＡＮの仕組みを使用して実現されてい

ます。（以下略）　（〈 〉は編集部）

ふーん、そうなんだ。ＧＡＮと聞くと、私の趣味の一つであるルービックキューブの大手メーカーの名前を思い出すのだが、キューブの方は「ガン」で、画像生成ＡＩの方は「ギャン」と発音するのだろうな。

ＧＡＮとは敵対的生成ネットワーク。

２つのニューラルネットワークでやりとりをしながら画像を改善していく仕組みなのか。あれ？　これって、なんだか、ディスクリミネーターが人間の教師・上司みたいになって、ジェネレーターを訓練しているような……。

ＧＡＮの仕組みを考えたのはイアン・グッドフェローという人物だ。２０１４年のある日、彼は、モントリオールのパブで友人たちと酒を呑んでいた。いや、私もモントリオールに７年も住んでいたので、知っていますよ、彼の行きつけのパブ。まあ、科学者という人種は、パブでがぶがぶ酒を飲んで酩酊していても、いつも研究課題を話し合っているわけですね。頭が下がります。

で、グッドフェロー博士たちは、「なかなかＡＩがリアルな画像を生成できない問題」

イアン・グッドフェロー。

1987年生まれの機械学習システムの研究者。コンピュータが経験から独自に学習して自動で改善していくアルゴリズムなどを研究する。

スタンフォード大学、モントリオール大学での研究を経て、グーグル・ブレインに参加。その後、新しく設立されたOpenAI（ChatGPTの開発企業）に参加。Appleの機械学習研究チームにも参加。

グーグルでは、ストリート・ビューの画像から自動的に住所情報を加えるシステムなどを開発。

で盛り上がっていた。やがて、友人たちと別れて自宅に戻った彼は、パブに繰り出さなかったガールフレンドが熟睡しているので、起こさないように気をつけながら、そっとパソコンの前に座り、パブで思いついたアイディアをプログラムしてみることにした。

そのアイディアとは、「2つのＡＩに競争させる」という単純なものだ。

そう、これがチャットＧＰＴの説明にあったようにジェネレーターとディスクリミネーターである。ジェネレーターが「こんなの作ってみました」というと、ディスクリミネーターが「そんなのダメだ。本物に似せるにはこうしなくては」とダメ出しをする。それに応じて、またジェネレーターが作品を提出する……。

うん、やはり、生徒にダメ出しする先生や、部下を厳しく指導する上司みたいな関係を思い浮かべてしまうな。もしかしたら、グッドフェロー博士の指導教官も厳しいけれど的確なアドバイスができる人だったのかなぁ。

とにかく、グッドフェロー博士は、べろんべろんに酔っ払いながらも、頭は冴えに冴え渡っていた。そして、まだ朝日が昇る前に、彼はＧＡＮ（敵対的生成ネットワーク）を発明していた。

画像生成ＡＩにはどんなものがあるのか

てなわけで、早速、具体的に画像生成ＡＩにどんな種類があるのか、チャットＧＰＴに訊いてみましょう。

「画像生成ＡＩには、どんなものがあるの？」

現在、ＧＡＮを活用した商品やサービスは、様々な分野で開発・提供されています。以下にいくつかの具体的な例を挙げます。

1.〔NVIDIA Canvas〕NVIDIA Canvasは、ＧＡＮを使用して、手描きのスケッチを自動的にカラー画像に変換するアプリケーションです。このアプリケーションは、アーティストやデザイナーにとって便利なツールであり、手描きのスケッチからリアルなカラー画像を生成することができます。

2.〔NVIDIA GauGAN〕NVIDIA GauGANは、ＧＡＮを使用して、手描きのスケッ

チを現実的な画像に変換するアプリケーションです。（中略）

3.〔OpenAI DALL・E〕OpenAI DALL・Eは、ＧＡＮを使用して、文章から画像を生成することができるＡＩです。（以下略）　（〔　〕は編集部）

というわけで、エヌビィディア　キャンバス（NVIDIA Canvas）を試してみたいのだが、どうやら専用マシンが必要で、Windowsでないと動かないという。Mac党の私としては、代替を探すハメに陥った（実は、ネットでもできるのだが）。

よくよく考えてみれば、あまたの生成ＡＩが競っている現在、個人や会社のパソコン環境によって、使う生成ＡＩを選ぶのは、当たり前といえば当たり前の話かもしれない（ちょっと言い訳っぽいですね、すみません）。

画像生成ＡＩにトライしてみた

そこで、チャットＧＰＴと同じ開発元（OpenAI）が作っていて、文章から画像を生成するダリ（DALL・E）を試してみよう（２０２３年5月の時点でDALL・E2が出ている。

この名前はおそらく画家のダリから取ったものだと思うので、この本では「ダリ2」と呼ぶことにする)。

おっと、突然だが、講演会のパワーポイントにイメージ図を入れる必要が生じた。ネットでいろいろと検索してみたが、なかなかしっくり来るものがない。困った!

そうだ、画像生成AIに頼んでみればいいのではないか? というわけで、いきなり仕事に使わせてもらったのが、次の画像だ。

地球生命の歴史を概観する講演で、地球が完全に凍っていた全球凍結(スノーボール・アース)のイメージ・イラストである。

「**スノーボール・アース。写真みたいに**」

と指示したら、次の絵を描いてくれた(口絵も参照)。

なんだか、本当に凍っている雰囲気が出ていて、イメージ図としてはぴったりだ。ありがとう、ダリ2!

「スノーボール・アース。写真みたいに」

［ダリ２］ はい、どうぞ。（……とは実際には言わないが）

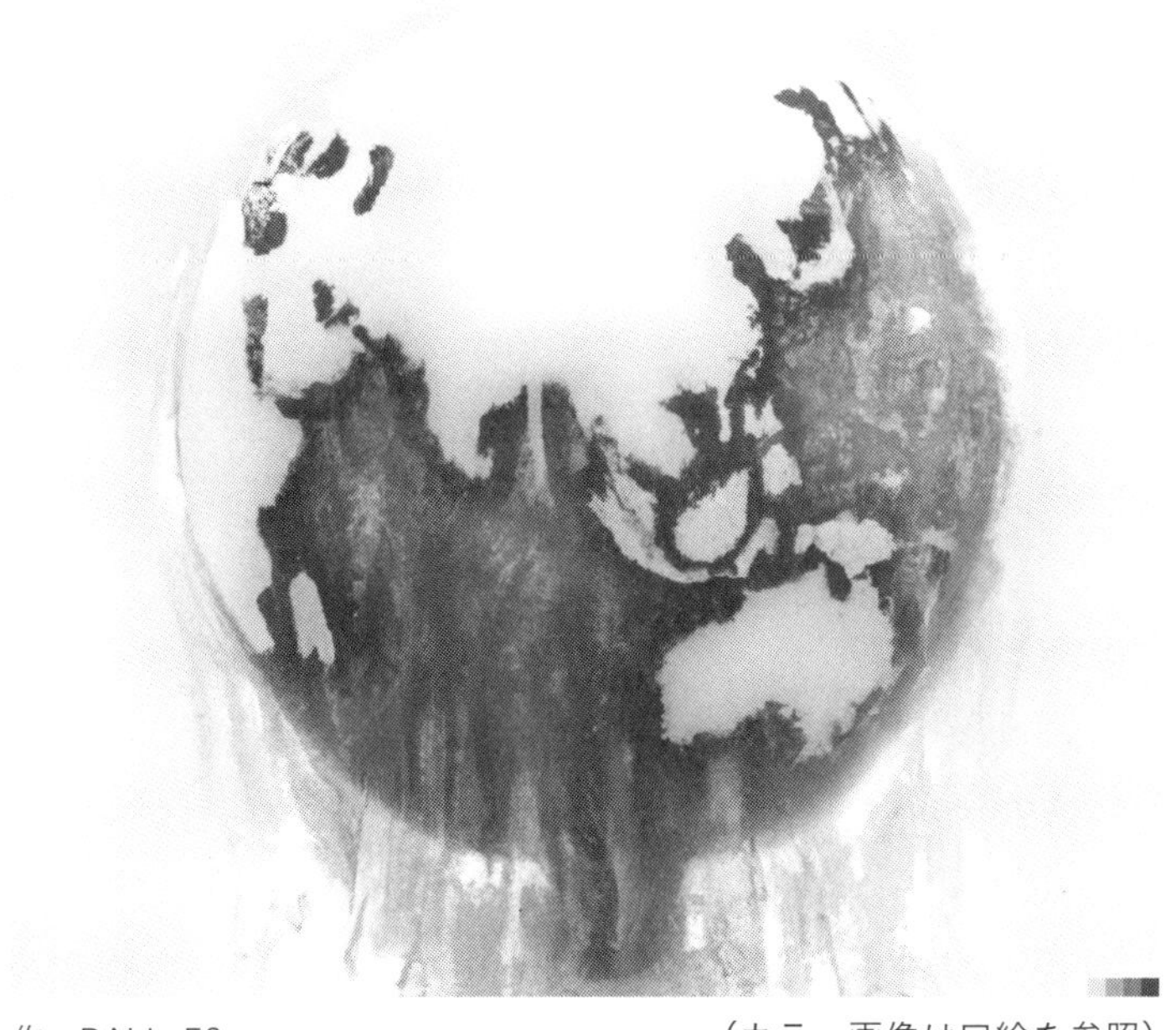

作・DALL•E2　（カラー画像は口絵を参照）

「パリの街を一人で歩いているポテト。手にバゲットを持ち、黒白のスカーフを巻いている。マンガ調」

⬇

［ダリ2］はい、どうぞ。

作・DALL・E2

お次は、うちの娘（中1）が遊びで入力したのだが、
「パリの街を一人で歩いているポテト。手にバゲットを持ち、黒白のスカーフを巻いている。マンガ調」というお題だ。

発想がぶっ飛んでいると思うが、ダリ2は、こんな素敵な雰囲気の絵を描いてくれた。

背景のアパルトマン？が少しふにゃふにゃしていて、バゲットのようなものから糸くずが出ているように見えるなど、細かいところに難があるが、一部を消しゴムツールで消して、もう一度、描き直してもらうこともできる。

チャットGPTが出してくる文章と同じで、人間がポスト・エディティングをしてもいい。

次は、もっとずっと実践的な絵ということで、いま私が友人と書いているジュヴナイル小説の主人公をダリ2に描いてもらおう。喧嘩好きの小学5年生だ。

「二人の日本人の小学生が空手とキックボクシングで喧嘩をしている。時は1975年。白黒のマンガ調で」

「二人の日本人の小学生が空手とキックボクシングで喧嘩をしている。時は 1975 年。白黒のマンガ調で」

⬇

[ダリ2] はい、どうぞ。

作・DALL・E2

結果は、前ページのようになった。

うーん、雰囲気は出ているが、なんとなく、子供が描いたラフスケッチみたいな感じだ。そして、幽霊のように右の少年の首の背後から腕が出ている。怖っ！

そのまま商業ベースで使うのは、今の段階では難しい気がする。

この最後の絵は、あえてできの良くない例を出したのだが、その原因は、こちらが出すプロンプト（命令指示）が適切でなかったか、あるいは、１９７５年当時の小学生の姿かたちをダリ２があまり学習できていない可能性もある。

あくまでも日常言語で指示したものを画像化するという意味で、ちょうど、「こんな情景を思い浮かべてみて」と言われて、われわれ人間が思い描く脳内イメージみたいなものかもしれない。

ＡＩが描いたのは、アファンタジアっぽい絵？

少し話が脱線するが、ダリ２が生成した最後の例は、どことなく、「アファンタジア」

に近い気もする。アファンタジアというのは頭の中でイメージを視覚化できない状態で、「目をつむってりんごを思い浮かべて」と言われても、何も目の前に出現しない人のこと。目の前に全くりんごの画像は出現せず、まぶたの裏が、光の具合により、黒かったり、茶色っぽく見えるだけだ。

物は試しで、読者もぜひ、目をつむって、りんごを思い浮かべてみてください。どうだろう？　おそらくほとんどの人は、なんらかの形でりんごを「見た」はずだ。青いリンゴの人もいれば、赤いリンゴの人もいるだろう。また、ぼんやりと輪郭があり、色がついているけれど、現実のりんごとは程遠い人もいるはずだ。目の前ではなく、なんだか、頭の後ろというか頭の中あたりに絵がぼんやりと浮かんでいる感じかもしれない。

逆に、かなりはっきりと目の前にりんごが思い浮かんだ人もいるだろう。この最後のパターンは「ハイパーファンタジア」と呼ばれており、私のようなアファンタジアの人間の真逆なのである。

この話は、別のところで詳しく書くつもりなので、ここでは、深入りしないが、もうちょっとだけ解説すると、アファンタジアの人は、だいたい人口の１％くらいだと言われている。逆のハイパーファンタジアもかなり少ないらしい。そして、ほとんどの人は、何も見えないアファンタジアから、リアルと区別できない画像が想像できるハイパーファンタジアの「中間」の幅広いグラデーションに属している。

これは、どちらが優れている、というような話ではなく、障害の話でもない。単に「人によって想像できる画像には差がある」ということなのだ。

ただし、画像を想像することができないアファンタジアの人は、目を開けて描いたものしか見ることができないし、数学の図形問題にしても、思い描いて操作することはできないから、ひたすら、紙に図を描くハメに陥る。

一方、ハイパーファンタジアの人は、目の前で、図形を折りたたんだり、補助線を引いてみたりできるので、解答用紙が汚くならずに済む（笑）。

アファンタジアの人は、もしかしたら、リアルな世界しか見えないので、数学などの問題も、ひたすら論理的に考える癖がつくかもしれず、それが生き方に影響するかもしれない。

私が知っているハイパーファンタジアの人は、目を開けてもりんごがそこにあり、あまりにリアルなので「つまんで持ち上げることができる」と言っていた。そして、真っ白なノートを開くと、そこに、リアルに文字が浮かび出て、過去のあらゆる記憶を引き出すことが可能だという。

あ、脱線しすぎました。

なんで、こんなことを書いているのかといえば、生成ＡＩの「仕組み」を研究することで、アファンタジアからハイパーファンタジアまでのグラデーションの秘密が解明できるのではないか、などとちょっぴり妄想しているからなのだ。

個人的な感想として、現在のダリ２が生成する一部の画像は、どことなくアファンタジアの私が描く絵に似ているような気がした。なぜなら、画像がイメージできない私は、絵を描くときも、おそらく言語とか概念を頼りにしているからだ。言葉のプロンプトで指示されて絵を生成するダリ２は、だから、アファンタジアの人が絵を描くときにしていることに似ている気がする。

あくまでも妄想だが、脳科学とＡＩ研究は、いまでも密接に連携が行われているので、「アファンタジア」と生成ＡＩの関係には、個人的に非常に興味を持っている。

画像の「一部」を生成してみる

ダリ2の真価は、ゼロから画像を生成するのもさることながら、与えられた情報を元に「穴を埋める」能力にあるのかもしれない。

先日、ニコニコ超会議の会場で初音ミク（？）仕様の格好いいクルマを見つけた。幕張メッセの展示会場であれば、まあ、そういう展示なのだと納得がいくが、このクルマが一般車道を走っていたら、さぞかし壮観であろう。

さっそく写真を撮ると、たまたま係員の人が通りかかってしまった。もちろん、係員が通り過ぎてから、もう一枚、写真は撮ったのだが、仮に一枚しかなかったとしたら、係員を消去したいと思うだろう（係員さん、ごめんね！）。

そこで、ダリ2にいきなり言葉で指示を出すのではなく、**まずは写真を読み込んで、係員の部分を消しゴムツールで消して、「展示場の中のクルマ」と指示してみよう。**すると、完璧ではないにしても、クルマの形が生成され、背景も違和感がない（次ページ参照）。

生成 AI に背景を穴埋めしてもらう

係員の人を消せばいいのだが……。ダリ２が背景を生成してくれた

作・DALL•E2

事前に画像処理ソフト「フォトショップ」できれいに切り抜いておけば、おそらく、もっと仕上がりは良くなるだろうし、切り抜いた後の背景も指示によって変えることができる。

いまの場合は、単に被写体だけを残す目的でダリ2に「穴埋め」をしてもらったが、こうなると、集合写真から特定の人物だけを消したり、別人に入れ替えたりすることもできるわけで、もはや、写真を見ただけでは、それが真実なのか虚構なのか、判断することは不可能になってしまった。

これまでもフェイク画像は氾濫していたが、その作成には、それなりのスキルが必要とされた。しかし、いまや、消しゴムツールで消して、言葉でかんたんな指示を出すだけで、誰でもフェイク画像を生成することができる。ちなみに、グーグルの最新のスマホでは、消しゴムツールで消すだけで、背景を見事に穴埋めしてしまうようになっている。ＴＶＣＭでフワちゃんがやっているのがそれだ。

当然のことだが、今後は、なんらかの形で、「この画像は生成ＡＩで加工されています」という証拠がデジタルで残る仕組みが必要だろう。

お札に入っている「透かし」は偽造防止技術だが、それと同じものがデジタルでもある

「電子透かし」である。電子透かしの入った画像は、どんなに加工しても「この画像は生成ＡＩで加工されています」という情報が残っている。

つまり、トランプ前大統領が警察に「不当逮捕」されているフェイク写真が出回ったとしても、電子透かしを見れば、それが偽造（加工）であることがわかるのだ。

便利すぎる生成ＡＩが市民権を得るためには、このような技術的な工夫が必要であり、その後、法律面の整備が追いついてくるのだろう。

画像生成ＡＩードリームスタジオ（Dream Studio）を試してみる

次に、チャットＧＰＴは紹介してくれなかったが、stability.AI が開発している画像生成ＡＩ「ドリームスタジオ（Dream Studio）」を使ってみよう。

風景というか、かなり込み入った状況を入力してみる。

「戦争が終わった。暑すぎる夏が来た。街は瓦礫の山となっていた。それでも公園の緑はそのままで、小鳥たちが遊びに来ている。爆撃で家を失った人々が公園で暮らしている。」

「戦争が終わった。暑すぎる夏が来た。街は瓦礫の山となっていた。それでも公園の緑はそのままで、小鳥たちが遊びに来ている。爆撃で家を失った人々が公園で暮らしている。」

DeepL でプロンプトを英語に変換

「The war is over. The summer was too hot. The city was a pile of rubble. Yet, the greenery in the park is still there, and birds are coming to play. People who lost their homes in the bombing were living in the park.」

⇓

作・Dream Studio　　（カラー画像は口絵を参照）

ただし、今のところドリームスタジオは日本語入力を受け付けないので（２０２３年５月現在）、一度、ディープL（DeepL）を使って、先ほどの設定を英語に翻訳してから入力してみる。

「The war is over. The summer was too hot. The city was a pile of rubble. Yet, the greenery in the park is still there, and birds are coming to play. People who lost their homes in the bombing were living in the park.」

マンガ風にしたり、写真に近くしたり、さまざまなオプションがあるのだが、どうですか、これ？　かなり雰囲気が出ているのではなかろうか。さらに細かく指示を出して、思い描いたイメージに近い画像を作ることも夢ではないと思う。

この画像については、次の節でさらに加工してみたい。

写真レタッチソフト「フォトショップ（Photoshop）」にも生成AI機能がある

さて、すでにダリ2のところでも少し触れたが、写真レタッチソフトの定番、Adobe社のフォトショップにも生成ＡＩ機能が組み込まれている。メニューの「フィルター」内の「ニューラルフィルター」には、さまざまなスタイルでの画像生成オプションが用意されている。

たとえば、クラシック音楽のレコードジャケットをモノクロで撮影し、ＡＩに色をつけてもらおう。

最初からモノクロで撮影しているので、画像にはカラー情報は全く含まれていない。カラー画像から色をなくしてモノクロ化するのは、これまでもデジタルカメラ内で普通にできたわけだが、いまやっているのはその逆。そもそもカラー情報が存在しないのに、AIが勝手に色を予想して、いわば「塗り絵」をしてくれるわけだ。

（このモノクロ写真をAIに色をつけてもらった写真は、口絵参照。いかがだろう）

ただし、いつもうまく塗り絵をしてくるとは限らない。たとえば、私の愛猫のモノクロ写真をカラー化してみると……。

思わず笑ってしまうが、ロシアンブルーの

猫が頬以外は、茶トラみたいになってしまった。また、喉のあたりはなぜか黄色っぽくなっている。（残念な写真は、口絵を参照）

いまは過渡期なので、画像生成ＡＩや写真加工ＡＩは、人間が望む結果を出してくれることもあれば、かなりシュールレアリスティックな絵を出してくることもある。

ちなみに、明治時代から昭和にかけての白黒写真をカラー化する試みが東京大学をはじめ、いくつかの大学などで行われてきた。戦争に関する写真だけでなく、人々の日常生活を写した写真をカラーにすることで、写真を観る現代の人によりリアルに感じてもらおうというものだ。

カラー化するにはＡＩも使われていたが、２、３年前まではＡＩは人工的なものや風景の着色は不得手であり、時代考証や所有者の経験談、記憶、伝え聞いた話などを参考に手彩色を行ったほうが、現実に体験した色に近く、全体の精度が高かったという。

次に、さきほどドリームスタジオで生成した画像に、適当にフォトショップのニューラルフィルターをかけてみよう。

これはおそらく、歴史的なアーティスト「風（ふう）」の加工だが、ここまで来ると、もはや人

作・Dream Studio ＋ Photoshop　　（カラー画像は口絵を参照）

が描いたのかＡＩが描いたのか、区別がつかなくなってくる。

歴史的なアーティストであれば、「ああ、あの人の真似だね」と誰にでもわかるだろうが、現役アーティストの場合、一般の人には「真似」であることがわからない場合も出てくるだろう。

人間のアーティストも、最初のうちは真似から入るのだろうが、次第に自分独自のスタイルを確立していき、独り立ちするものだ。そんな汗と涙の結晶みたいな「スタイル」をＡＩが無断で真似して、それを企業が広告宣伝に使ってしまったら、どう考えても倫理的な問題が浮上する。

しかし、いまの生成ＡＩは、多くの場合、ネット上にある膨大なデータを拾ってきて学習に使っているわけで、われわれが生成ＡＩを使う場合にも「これはアーティストの誰々に著作権使用料を支払って、そのスタイルを使用させてもらっています」といった案内は出てこないし、実際に、作家やアーティストに著作権使用料を支払った、という話も聞いたことがない。

そこで、自らの権利を守るために、アーティストたちからは、法律による規制を訴える声も聞かれる。

インターネット上にある画像の特徴を学習し、入力した文章や単語に近い画像を生成する人工知能（ＡＩ）を巡り、イラストレーターらでつくる団体が27日、東京都内で記者会見し、著作権が侵害されていると訴えた。学習で使用する前に著作権者の許可を得るよう義務付けたり、対価を還元する仕組みを作ったりするよう、政府に法規制を求めるとしている。

記者会見したのは、約30人が参加する「クリエイターとＡＩの未来を考える会」の理事、木目百二さんら。画像生成ＡＩによって似た絵柄が大量に複製されたり、児童ポルノ生成などに悪用されたりする被害があるという。

木目さんらは「ＡＩ開発で著作物を許諾なく学習できる規定は創作者の搾取につながる」と指摘。オリジナル画像の著作権者の明示を義務付けることなども求めた。

画像生成ＡＩは欧米のＩＴベンチャーなどが開発し、ネットにある無数の画像の特徴を学習する。日本では、２０１８年の著作権法改正により、ＡＩ開発に当たっては権利者の利益を不当に害する場合を除き、許諾なく著作物のデータを解析することができる。

〔共同〕２０２３年４月27日

正直言って、児童ポルノ生成に悪用されているという実態は驚きだが、テクノロジーが先走った結果、それを悪用する輩が出てくるのは、歴史の常であり、今回も同じようなことが起きているのだろう。

とはいえ、テクノロジーには自由な研究開発環境も欠かせないので、冒頭でご紹介したように、世界各国は、生成ＡＩで主導権を取りたいという戦略と同時に、クリエイターだけでなく、一般社会への被害を防ぐ規制も求めており、今後、世界各国とも、非常に難しいバランス感覚が求められるだろう。

生成ＡＩはチャットＧＰＴの出現とともに、爆発的に普及し始めている。しかし、そこには常に光と影があり、人類は、難しい綱渡りを強いられているのだ。

Chapter

4

自動翻訳AIは世界の言語の壁をなくす!

この本でも、すでに何回か自動翻訳ＡＩのディープＬ（DeepL）にご登場願った。そこで、この章では、最新の自動翻訳ＡＩについて、どれくらい「使える」ものなのかを考えてみたい。いや、もうすでに翻訳家の私は実戦投入しているわけなのですが……。

自動翻訳ソフトのディープLは生成AIの一種ですか？

基本的な質問から始めたい。チャットＧＰＴにディープＬ（DeepL）の素性を問うてみよう。はたして、ディープＬは生成ＡＩなのだろうか？　ふつうに考えれば、文章を生成するのだから、当然、生成ＡＩの仲間ですよね？　しかし……。

「ディープＬは生成ＡＩですか？」

DeepLは、生成AIの一種ではありません。DeepLは、機械翻訳技術を使用して、入力されたテキストを自動的に翻訳するオンライン翻訳サービスです。DeepLは、ニューラル機械翻訳（NMT）を使用して、高品質かつ自然な翻訳結果を提供します。

NMTは、ディープラーニングを使用して機械翻訳を行う手法の一つで、翻訳をより正確かつ自然なものにすることができます。しかし、DeepL は生成AIとは異なる種類のAI技術を使用しています。

いやあ、やはり知ったかぶりはいけません。なんとなく、一緒のものだと考えていたけれど、文章を生成するというよりは、日本語を英語に、あるいはギリシャ語をフランス語に「置き換える」のがディープＬの仕事なのですよね。

生成ＡＩもディープＬも、ディープラーニングの手法は使っているものの、さらに細かい技術の話になると、まあ、全くの別物ということか。

寿司を食うとき、たしかにみんな寿司なのだろうが、マグロの中トロと生エビが同じかと問われれば、そりゃあ、違うわな。失礼……あまりいい比喩ではなかったかもしれない。

とにかく、生成ＡＩとは分類が異なるので、本来は、この本であつかうべきではないかもしれないが、生成ＡＩを使いこなすには、日本語話者であるわれわれ日本人は、自動翻訳のお世話にならざるをえない。そこで、あえて一章を割いて、ディープに考えてみたいと思います。

職場の英語の壁が消えた

まずは、私の職場（インターナショナルスクール）での活用事例から。

私の職場には、5名くらいの英語ネイティブの先生たちと、日英バイリンガルの先生たち、ほぼ日本語オンリーの先生たちがいて、去年まで各先生たちとの意思疎通は、かなり大変だった。日常の業務連絡は、インターネット上のベースキャンプ（basecamp）もしくはＬＩＮＥを使っているのだが、そこでのやり取りは2つの言語が混在していたのだ。日本語で「**今日は、昼食の後、全校生徒でいつもの公園に行きます**」といった連絡事項を書いても、英語ネイティブの先生たちには、すぐには伝わらない。そこで、バイリンガルの先生が、「**Today, after lunch, all the students go to the park.**」と翻訳文をアップしないといけなかった。

逆も同じで、英語ネイティブの先生からの質問や連絡事項も、いちいち、バイリンガルの先生が日本語に翻訳しないといけなかった。インターナショナルスクールと言っても、ウチは実際には日本語と英語が半々のバイリンガルスクールなので、こんなことが日常茶飯事だった。

困るのはバイリンガルの先生たちである。特に誰が翻訳係とも決まっていなかったが、どちらかの言語だけで連絡事項が来たときは、自分の業務を中断してまで、翻訳作業に取りかかる必要があった。誰かが翻訳しないと、学校運営が円滑に進まないからだ。

当然、バイリンガルの先生たちからは不満の声があがった。

「なぜ、同じ給料で、自分たちだけが余分な仕事をしなくてはいけないのか。日本語の先生は英語を、英語の先生は日本語を少しは勉強したらどうか」

いや、ごもっとも。私もそう思います。

本当は、バイリンガルの先生に翻訳料を支払わなければいけないところだが、新型コロナで経営が赤字に転落したので、それも難しい。また、いまさら、円滑にコミュニケーションが取れるレベルまで、母国語以外の言語を学べというのも、酷といえば酷だ。学校の仕事は激務なので、語学の勉強をする時間など取れないだろうし。

そんな職場の問題点が、去年の暮れ頃に消えてなくなった。

そう、もうおわかりのように、英語ネイティブ先生も日本語ネイティブ先生も、ベースキャンプやLINEでのやりとりの際に、自動翻訳を「かませる」ことにしたのだ。書く側も読む側も、もはや「どの言語を使うか」を気にせずに済むようになった。そして、疲弊しきっていたバイリンガル先生たちも、不毛な重労働から解放された。

え？　これまでだって、グーグル翻訳があったじゃない？　なぜ、わざわざディープLの登場を待っていたのですか？　意味がわかりませーん。

実は、かなり前から、グーグル翻訳も試していたのです。しかし、残念ながら、意味の取り違えなどが多く、正直な話、業務では使えなかったのだ。グーグル翻訳の名誉のために付け加えておくと、この話は、あくまでも2022年の暮れの時点での私の職場に限定された状況であり、職種によっては、これまでもグーグル翻訳で仕事が円滑に回る職場もあったかもしれない。また、ここ半年で、グーグル翻訳も飛躍的に精度が上がってきているとも思う。

しかし、いったん、ディープLでうまく業務が回るようになったので、ウチでは、ディープLを使い続けているような次第。

プロの翻訳家もＡＩ翻訳ソフトを使っている？

さて、今度は個人的な仕事の話だ。私はサイエンス作家だが、プロの翻訳家でもある。これまでに何十冊もの英語の本を日本語に翻訳したり、監修したりしてきた。最近翻訳した本には、『超圧縮　地球生物全史』、『科学について知っておくべき１００のこと』、『WHOLE BRAIN（ホール・ブレイン）心が軽くなる「脳」の動かし方』などがある。

もうこの世界に入って30年以上になるが、ずっと翻訳家の妹（竹内さなみ）が下訳をやり、それに私が手を入れて、出版社に出すという形を続けてきた。下訳は、別の人がやってくれることもあるが、とにかく、下訳をベースとし、科学的な誤訳などがあれば修正し、原著者の癖や私自身の癖をわざと入れて、「こなれた」翻訳に仕上げるのだ。

妹の下訳は、完成状態からすると、８割程度のできであり、私はいわゆる「ポスト・エディティング」を受け持っていた。

妹から下訳が届くのに、３００ページくらいの本で、だいたい3ヶ月くらいかかることが多かった。翻訳の仕事は重労働だ。その間、妹も生きていかなくてはならないので、出版社から受け取る印税から１００万円近くは妹の取り分ということになっていた。まあ、一日８時間くらい翻訳し続けて、日当が１万円という感じですね。最低賃金より少しマシな程度だろうか。

この仕事のやり方が、去年（２０２２年）中頃から変わった。なんと、妹がやっていた下訳はディープLがやるようになったのだ。完成度は、正直、８割とまではいかないが、とにかく速くて安い。原著のＰＤＦをディープLに「ぶっこめ」ば、ものの数分で翻訳は終わる。そして、サブスク料金はといえば、一冊あたりに換算すれば、まあ、１０００円といったところか。

仮にディープLが作る下訳の完成度が7割くらいだとしても、妹は、7割のものを8割にすればいいのである。それにかかる時間は、まあ、のべ10日といったところか。だとしたら、妹への報酬も10万円でいい。

これまではプロのレベルに達していなかった

これまで、自動翻訳が商業出版の世界に浸透して来なかった理由は、翻訳精度にあった。

ポスト・エディティングができるレベルまで仕上げてくれなければ、使い物にならないのである。実際、完成度が5割程度だと、修正作業に時間がかかりすぎて、人間の翻訳者がゼロから下訳を作った方が効率がいい。

私は、過去に何度も、自動翻訳を仕事に導入しようと試してきたが、毎回、挫折していた。しかし、去年、世界が変わった。

話を整理してみよう。

以前は、下訳に3ヶ月と100万円がかかっていた。去年の後半あたりから、ディープLによる下訳は3分と1000円になった。現実には、下訳のブラッシュアップ作業が必要なので、1000円ではないが、それでも、10日と10万円に縮まった。つまり、仕事の効率が、一桁上がった計算になる！

科学翻訳だと、その分野の専門知識がないと誤訳が頻出してしまうなどの問題があるので、私が1ヶ月ほどかけてポスト・エディティングをして、さらに、専門家に依頼して科学的な間違いなどを指摘してもらうのだが、分野によっては、自動翻訳とポスト・エディティングだけで事足りる場合も多いだろう。

実際、前の節に出てきた、インターナショナルスクール内の業務連絡などは、ポスト・エディティングすらいらない。企業の内部文書であれば、もう翻訳作業は、完全に自動化されたと言っても過言ではない。

なにしろ、非常に基準が高い、商業出版の翻訳の現場でさえ、作業効率が10倍以上になっているのだ。もはや、自動翻訳は、多言語でなりたっている地球という惑星に住む「人類」には欠かせないテクノロジーとなった。

ディープLにいろんな場面の翻訳をしてもらったら……

ずらずらと書いてしまったが、少し実例をお見せしよう。

〔業務連絡〕英語→日本語

丸山課長、

お世話になります。
外部講師の一覧表および明細書を添付させて頂きます。
新しく契約しました新任のかたは、銀行口座の登録が必要と思います。
竹内さなみ様は、従前に登録済みかも知れません。

本日23日の口座登録
明日24日振込額の登録

お手続き下さいますよう、お願い申し上げます。

朝田
株式会社　××××

Chief Maruyama,

Thank you for your assistance.
Please find attached a list and statement of outside instructors.
I believe that the newly contracted new staff members are required to register their bank accounts.
Ms. Sanami Takeuchi may have already registered.

Today, 23rd, account registration
Tomorrow, the 24th, the registration of the amount to be transferred.

Please take the necessary steps.

Asada
XXXX Inc.

〔顧客へのお知らせ〕英語→日本語

Dear Alex Stewart

Thank you for updating us about your schedule.

The sports day starts from 9:30 in the morning but the parent teacher "meet and greet" actually starts from 14:00 in the afternoon and lasts for about forty five minutes. There is also an award ceremony before that which starts from 13:30.

Please take your time and join us whenever you feel up to it.

We wish you a speedy and effortless recovery from your surgery.

Best Regards

Admin team
YES International School

アレックス・スチュワート様

スケジュールについてお知らせいただき、ありがとうございます。

運動会は朝の9：30から始まりますが、保護者と先生の「懇親会」は実際には午後の14：00から始まり、45分ほど続きます。また、その前に13：30から表彰式があります。

どうぞごゆっくりと、気が向いたときにご参加ください。

手術から一日も早く回復されることをお祈りいたします。

よろしくお願いします。

アドミニストレーターチーム
YES インターナショナルスクール

いかがだろう？　社内文書も顧客とのやりとりも、そつなくこなす凄い奴。英語に苦手意識のあるビジネスパーソン必携のツールではなかろうか。ディープLは、あらゆる言語を行き来することができる夢のような道具だと思う。

ディープLがもたらす変化

自動翻訳は世界を変えつつある。ただ、いくつか留意点はある。

商業出版の話の際に「ポスト・エディティング」という言葉が出てきたが、最後の最後は、英語と日本語に堪能な人間が、全体を調整しないといけない。

社内文書ならそのままでいいかもしれないが、顧客への文書の場合、相手が英語話者なら英語のネイティブスピーカー、相手が日本語話者なら国語力のある人が、最終チェックをしなくてはならない。

最後はスキルのある人間の出番というお決まりの構図だ。

話は変わるが、明治時代以降、日本の出版業界は、常に「輸入超過」に陥っていた。英語に限らず、欧米で出版された書物を延々と日本語に翻訳して出版してきたのである。それに対して、日本語で出版された書物を英語に翻訳して海外に売ることは、あまりできていなかった（超大物の小説家やマンガなどは例外だ）。

だが、たとえば文字中心のSNSであるツイッターを見ても、日本人の使用率が圧倒的に高いことからわかるように、日本人は、しゃべることよりも書くことの方が得意なのだ。これは、中国から入ってきた漢字を使いこなしているにもかかわらず、ほとんどの日本人が中国語をしゃべったり聞いたりできないことにも現れている（英語もそうですよね）。

つまり、日本人は、たくさん本を読むし、これまで、たくさんの本が出版されてきた。まさに、活字王国ニッポン。でも、そういった日本の出版文化は、ほとんど海外に知られることはなかった。なぜなら、日本語でしか流通しておらず、英語やその他の言語に翻訳されることがなかったからだ。

でも、これからは違う。

機械翻訳AIの精度が飛躍的に向上した今、日本の出版「遺産」は、開国したのである。これからは、日本語だけで出版された名作の数々を海外の人々が読むことができる。

私が小さな出版社の社長だったら、版権が切れている日本の名著をどんどん英語にして、海外で売るだろう。もちろん、きちんとポスト・エディティングを入れた上で。私が大きな出版社の社長だったら、自社の過去のベストセラーからロングセラーまでを英語に翻訳して、海外でバカスカ売るだろう。

そう、日本の出版社の逆襲が始まるのである。いや、始めるべきなのだ。

ただし、電子出版との兼ね合いで、心配なこともある。

たとえば、英語で出版された本を、今は私のようなプロの翻訳家が数ヶ月かけて翻訳しているが、ディープLその他の機械翻訳ＡＩがさらに進化して、翻訳精度が上がったら、もう翻訳家は必要なくなるのではないのか？　そして、日本の翻訳出版ビジネスもいらなくなるのではあるまいか？　日本の読者は、海外で出版された話題作をリアルタイムで読むことができる。なにしろ、数分かけて機械翻訳してしまえばいいのだから。

それでもいいとは思うが、出版ビジネス全体からすると、電子書籍になんらかのプロテクションをかけて、本全体を機械翻訳にかけることができないようにする可能性は高い。また、機械翻訳のソフトを作っている会社も、世界の出版業界と一緒にガイドラインを作成するかもしれない。これは、世界の出版ビジネスにおけるお金の流れをどう「制御するか」という大問題なのである。

Chapter

5

チャットGPTを騙してみる

さて、チャットGPTに再登場願おう。

まず、「人類vsチャットGPT」というテーマで、生成AIについて、深掘りしてみよう。

その後、チャットGPTを企業や行政や教育の現場で「使うかどうか」、そして使うならば「どう使うか」について考えてみたい。

同じ質問を人間にしてみた

この本の冒頭でチャットGPTに、生成AIや大規模言語モデルについて質問を投げかけた。チャットGPTの答えは、正直言って、少しわかりにくいと感じた。どことなく抽象的というか、腑に落ちない印象だった。

そこで、この節では、現役物理学者でAIの専門家でもある田森佳秀博士に同じ質問をしてみよう。

まずは、「**生成AIってようするになんですか?**」と尋ねてみた。

ネットを介して人ができるほぼすべてのことをできるコンピュータ・プログラム。ただし、ここで言う人とは、天才とかではなく、大学の先生くらいの豊富な知識がある人のこと。大学の先生でも、あることが正しいと言ったり、まちがったりしますよね？　それと同じで、生成ＡＩは、どちらの意見も答えることがある。実際、しょっちゅう矛盾したことを言う。矛盾を検出することは、あえて？やっていないようです。

絵を描く場合も、そこそこの絵を描くけれども、天才が描くような絵は描けない。専門家でも、いい絵かどうかを見分けるのは難しいのですけれど。

うん、なんだか、わかった気がしましたよ〜。かなりのレベルの人と同じことができるけれど、天才みたいにはいかないんだ。だから、チャットGPTは、人類を救う大発明をして、ノーベル賞を受賞したりもできないのだろうな。

うまく表現できないけれど、人類の専門家の方が、噛み砕いた説明をしてくれるというか、私が眉間にしわを寄せて「うーん、イマイチわからんなぁ」という表情になっていたら、思い切ってエッセンスだけ説明してくれるように感じた。しかも、比喩的に説明してくれる。

だったら、やはり冒頭で煙に巻かれた（？）大規模言語モデルについても尋ねてみようではないか。

「**大規模言語モデルって、ようするにどんなことをやっているのですか？**」。前と同じように、眉間にくっきりとしわを寄せて、困った感を出しながら質問してみた。

「大規模言語モデル」という言葉で説明しましょう。大規模＝1、言語＝2、モデル＝3という番号を振ります。1→2→3という単語の並びがわれわれの言語世界で頻繁に使われているならば、1が来たら次は2、2が来たら次は3を生成するようなAIですね。頻繁に使われているというのは、ようするに確率の問題ですが。階層構造になっていて、単語の次は、大規模言語モデル＝（1→2→3）＝10という具合に単語がつながったフレーズに番号を振る。すると、10の次に頻繁に来るフレーズ、たとえば「ディープラーニングの一種」＝11が生成される。

こんな具合に、言葉のつながり具合を大規模に学んで生成していく。人間がある言葉から別の言葉を連想するようなものです。

やはり、しがないサイエンス作家の竹内薫には、チャットGPTよりも人間の専門家の解説のほうがしっくり来ますねぇ。噛み砕いて、その場で具体例を作って説明してくれるので。まあ、実際にはもっと大変で複雑なんだろうけど、少なくともだいたいのイメージは得ることができる。

ついでなので、画像生成AIによく出てくる「ディフュージョン」のイメージも尋ねてみよう。英語ではディフュージョン（diffusion）は、「拡散」などと訳されるが、どういう意味なのでしょうか？

言語生成AIと画像生成AIは、仕組みは似ていますね。いま、「連想ゲーム」みたいなものだと言いましたが、たとえば色のついた画像を考えてみましょう。

赤の隣には橙色が来る可能性が高い。そして、赤と橙の隣には緑が来ることが多いなどなど。起点となるドットから、周囲に色が滲んで広がる様子がディフュージョンと呼ばれるのです。学習によって、絵の要素のつながりの確率が変わるので、重要度、関連度が各階層で広がったり、縮まったりする様子のことですね。

おお、なんとなくだが、画像生成ＡＩのやっていることもイメージが湧いてきた。言葉の連想ゲームは、直線（一次元）のつながりだから、前と後しかないけれど、画像になると画面（二次元）だから、そのドットの周囲とのつながりが問題なのだな。色がついてくると、さらに複雑になるけれど、まあ、おおまかな原理は同じということか。

ありがとう、田森ハカセ！

チャットGPTを騙す法

田森ハカセの授業では、生徒と一緒にチャットGPTを騙しているのだという。

え？　なぜ、そんなことを？

これから人間社会では、生成AI（やその他のAI）との「共生」が始まります。テレビのドラマで、初めてパートナーになった二人の刑事が、張り込み中の車の

中でドーナッツを食べて珈琲を飲みながら、雑談をするシーンがありますよね。あんな感じで、相棒と仲良くなるために、雑談を通じて、相手の性格を知る必要がありますす。でないと、いざという時に、相棒が、援護射撃してくれずに逃げてしまうかもしれず、命にかかわるのです。

あなたと生成AIは一蓮托生なのです。相棒の性格を熟知すべきです。特に相棒の弱点を知るべきです。それが、あなたと生成AIコンビの生き残りの最低条件なのです。

というわけで、チャットGPTが苦手とする質問をどんどん考えて、弱点を探ってみようではないか。

100×100×100の答えを間違えるチャットGPT

「100×100×100の答えは?」

これは簡単だ。答えは誰でもわかるように「100万」。チャットGPTもそう答える。ところが、この質問の後、別の話題を振って一呼吸置いてから、もう一度、同じ質問をしてみる。

「ところで、さっきの質問だけど、100×100×100の答えは本当はいくつなの？」

すると、チャットGPTは、驚くべき反応を見せた。なんと、

さきほどの答えは間違いでした。本当は10億です。

と答えを変えてきたのである！　しかも、今度の答えは間違っている。（2023年5月時点）

このやりとりは、2つの意味で興味深い。まず、チャットGPTが人間のようなふるま

いを見せたこと。そして、こんな簡単な計算を間違ってしまったこと。

人間のようなふるまいというのは、たとえば上司が若い部下に嫌味っぽく、「その答えでいいの？　ちゃんと考えて？」と言った直後に、部下が「あ、間違っていました」とすぐに意見を修正してしまうような類（たぐい）のふるまいのことだ。正しい答えが何なのかもわからず、ただ、相手の要求に流されるというか、忖度（そんたく）してしまう。いや、チャットＧＰＴが実際に忖度しているかどうかはわからないが、そう見えてしまうのだ。

なんだか人間味があって面白いではないか。

田森ハカセによれば、このような人間臭い行動の裏には、次のような事情があるらしい。

過去を憶えていて、二度目に聞かれたので、１００万という答えは間違いの確率が高くなり、10億と答えたのでしょう。以前の質問との関連性を誤ってとらえたのです。つまり、前の答えが間違っていたから、再度、質問されたと解釈したようです。チャットＧＰＴは、ブレるようにできています。

次に、簡単な計算を間違えてしまう点ですが、これは、ようするに計算エンジン（ようするに高度な電卓機能ですな）が組み込まれていないということ。あと、何が正しくて、何が正しくないかというような「矛盾していないかどうか」をチェックする機能もないようです。

田森ハカセによれば、チャットGPTのような、誰もが何にでも使うような「汎用AI」に、厳密な論理や数学の機能を組み込むと、答えるのに時間がかかりすぎたり、答えられなくなったりするのではないか、とのこと。

さて、こんな具合に意地悪な質問ばかりして遊んでいたら、ある数学の証明問題について、チャットGPTが

この問題はヘロウィッヒ数を使えば解けます。

と答えてきた。

え？　誰それ？　科学史を専門的に勉強したことがある竹内薫でも初耳なんですけど。

ヘロウィッヒなんて名前の数学者いたかしら？

ググったりして調べてみたけれど、残念ながら、ヘロウィッヒという名前の数学者と関係づけられた特殊な数はどこにも見当たらない。そこで、相棒を追及してみる。

「ヘロウィッヒは数学者の名前ですか？　数学事典にも載っていないのですが。だいたい、ヘロウィッヒ数ってどういう数なのですか？」

すると、チャットGPTは、こんな言い訳を始めた。

間違えました。ヘロウィッヒ数なるものは存在しません。データの中のノイズの影響をうけて間違えることがあります。

ちょっと難しい言葉だが、これは、自分の誤りを自覚するという意味で、「メタ認知」と呼ばれている。メタは「超える」という意味なので、人間が、自分を超えて、第三者の目線で自分を見つめることだと思ってほしい。

忖度と同様、チャットGPTがメタ認知をしているのか？　まあ、私は、そこまでの主張をするつもりはないが、これまた人間味のある行動で興味深いですねぇ。

チャットGPTを使わない選択肢はない

ここまで、生成ＡＩの便利な側面や、危なっかしい点などを駆け足で見てきたが、もはや生成ＡＩがこれだけ氾濫している状況で、「使わない」という選択肢は、ほとんど残されていないと私は感じている。

かつて、蒸気機関が発明されて第一次産業革命が進んだ際には、人々の間に機械打ち壊し運動（ラッダイト運動）が起きたが、現在、蒸気機関を始めとする機械は、どんどん進化を遂げて、ガソリンエンジン、ジェットエンジン、そしてモーターを使った電気自動車、さらには水素エンジンの開発も行われている。ラッダイトたちは、近視眼的に自分たちの仕事が機械に奪われるのが悔しくて、機械を壊せば自分たちは生き残れると思ったのだろうが、彼ら彼女らは未来を見誤っていた。

日本にも江戸時代に帰れ！、経済発展などやめて、自然農法と自給自足の暮らしに戻れ！　などという人が（ごく少数ながら）いるが、たかが30年間、経済発展できなかったくらいで、もうこの国はガタガタだ。五公五民というキーワードがトレンドになったが、若者の多くが未来に希望を持つことができず、年金生活者になっても、わずかな年金しかもらえないのであれば、もはや、国のシステムが機能していることすら奇跡だと思う。

新しいテクノロジーには、常に光と影の部分があるが、世界で最初にそのテクノロジーを手にし、育てあげた国しか、繁栄することはできない。それが、第二次、第三次、そして現在進行形の第四次産業革命の教訓である。

となると、われわれは、役所であれ民間であれ教育機関であれフリーランスであれ、積極的に生成ＡＩを仕事に取り入れて、使い倒していかなくてはならない。それだけが、唯一、失われた30年から脱却して、この国がふたたび力強く未来を切り開く力を取り戻す道なのだ。

いま日本では少子化対策の拡充が叫ばれ、人材不足の問題も深刻だ。私の横浜の自宅の近くのコンビニは、35年以上も商売を続けてきたが、新型コロナの終息とともに店を閉じた。なんでも、後継者がいないことと、アルバイトを見つけることが困難になり、もう、店主とその奥さんの体力が持たなくなったのだという。私は、ここ10年以上、このコンビニで朝のコーヒーを買い、さまざまな雑貨も購入していたので、正直、日本の労働力不足がここまで来ているのかと、驚きを禁じ得なかった。

近所にあるもうひとつのコンビニは、直営店のため、まだ営業を続けているが、新型コロナの終息とともに、それまでアルバイトに入ってくれていた外国人留学生がいっせいに帰国してしまい、店長が一日も休めないような状態になっている（店長が帰国してしまったアルバイトの問題について本部と電話で話しているのを小耳に挟んだ）。

政府は、海外からの労働者をこれまでより広く受け入れるという施策も始めているが、同時に、海外からの移民が、自治体の住民たちと軋轢を引き起こしてニュースになったりもする。これは、どの国にも共通した問題だが、移住先の国の文化を尊重し、倫理観があり、勤勉で、仕事の能力が高い人材に移住してきてもらうのは、至難の業なのだ。

日本は、かつては科学技術がウリだったが、今では、引用される重要論文の数も世界ランキングではどんどん低下し、科学技術予算が横ばいのため、G7諸国の中で科学技術力は、最低レベルまで落ち込んでしまった。

経済成長できず、少子化で労働人口が減り、頼みの綱の科学技術もじり貧。そこで、おもてなしの精神で観光立国を目指せとか、豊富なマンガやアニメなどのコンテンツを売ればいいという人もいる。私も観光とコンテンツ産業を盛り上げることには賛成だが、それだけで国が繁栄するような規模にはなりえない。

今の日本には「起爆剤」が必要なのだ。

私は、それこそが生成ＡＩだと思う。ＡＩが人間の仕事を奪うというが、そもそも人間の数が足りなくなっている。ＡＩによる仕事の効率化は、すでにディープＬの章で述べたが、経済を「一桁」押し上げる潜在能力を持っている。ＡＩ関連技術に投資することにより、じり貧だった日本の科学技術力も、ふたたび世界で脚光を浴びる可能性がある。そして、その先には、半世紀ぶりの力強い経済成長が待っている。

日本が、生成ＡＩで世界の主導権を取ることができなければ、日本以外の国が主導権を取り、「勝者がすべてを持ってゆく」の格言どおり、その国が、第四次産業革命後の地球の覇権を握るだろう。

日本にはもう、悠長にかまえている余裕などない。日本は、いま、生成ＡＩに賭けるしかないのだ。

プレイジャリズム（剽窃・盗用）とはなんぞや？

一席ぶったので、少し落ち着いて、チャットGPTと「剽窃（ひょうせつ）」の問題を考えてみよう。

前節では、チャットGPTに代表される生成AIの可能性、つまり、光の部分だけを主張したが、今度は、影の部分の話である。

すでに、著作権侵害の恐れが問題視されていることなどに少しずつ触れてきたが、実践の場面で、どうやったら、安全に生成AIを使うことができるのだろう？

チャットGPTについては、その処方箋は明らかだ。キーワードは「プレイジャリズム」である。

プレイジャリズム（plagiarism）は英語で「剽窃、盗用」を意味する単語だ。チャットGPTは、ネット上の膨大な情報を学習し、われわれが求める情報を生成する。しかし、そこには「どこどこから引用しましたよ〜」という情報が書いてない。

たとえば、ある作家が、竹内薫の著作から無断で大量引用して、あたかも自分が書いたかのように装い、本を出版したら、それは著作権侵害である。私が本を書くときも、人様の本や論文からの引用は、ちゃんと出典を記し、引用だとわかるように字体を変えたり、カギカッコに入れたり、字の大きさを小さくしたりする。世の中には「引用権」というものがあり、著者の主張を裏付けたり肉付けしたりするために人様の著作の一部を引用することは許されている。この著作権と引用権は、人類が文字を使い始めてから、長い時間をかけて、育てあげてきたルールなのだ。著作権がないがしろにされれば、オリジナルの著作を書いた人は、収入につながらず、業績を横取りされて、作家を続けることができなくなってしまう。一方、引用権が認められなければ、人類は過去の著作の上で新たな文字文化を築くことができず、文明そのものが滅びるだろう。著作権も大事だが、引用権も重要だ。

さて、チャットGPTに現行の剽窃チェッカーをいくつか紹介してもらおう。

日本語で使える代表的な剽窃チェッカーには以下のようなものがあります。

1. 〔iThenticate〕学術論文や報告書などに使われる剽窃チェックツールで、日本語にも対応しています。

2. 〔Turnitin〕大学や高校でよく使われる剽窃チェックツールで、日本語にも対応しています。レポートや論文の剽窃をチェックすることができます。

3.〔Plagiarism Checker X〕オンライン上のコンテンツを比較して剽窃を検出することができる剽窃チェックツールで、日本語にも対応しています。

4.〔Urkund〕オンライン上のコンテンツを比較して剽窃を検出することができる剽窃チェックツールで、日本語にも対応しています。学術論文やレポートなどに使われます。

これらのツールは、オンライン上のテキストや文書を比較して、類似性を検出することで剽窃をチェックすることができます。ただし、100%正確ではないため、必ず自分自身でもチェックを行い、引用や参考文献の記載漏れがないか確認することが大切です。

（〔〕は編集部）

ここで、次のような状況を考えてみよう。あるインターナショナルスクールの物理学の授業で、「2020年度のノーベル物理学賞を受賞したロジャー・ペンローズについて調べてレポートを提出しろ」という課題が出たとしよう。

コピペ率
May 7, 2023
SCAN PROPERTIES
DONE
SCANNED A MINUTE AGO
9
RESULTS FOUND
110
SIMILAR WORDS
Identical 29.8%
Minor changes 1.9%
Paraphrased 36.6%
Omitted Words 0%
68.3%
MATCH
SUBMITTED TEXT
Sir Roger Penrose is a British mathematical physicist and a professor at the University of Oxford. He was born on August 8, 1931, in Colchester, Essex, England. Penrose has made many significant contributions to the fields of mathematics, physics, and cosmology. He is known for his work in the study of black holes and the creation of the Penrose diagram, which is used to represent the spacetime geometry of a black hole.
Penrose has received numerous awards and honors for his contributions to science, including the Nobel Prize in Physics in 2020, which he shared with Reinhard Genzel and Andrea Ghez for their discoveries about black holes. He has also been awarded the Wolf Prize in Physics, the Copley Medal, and the Royal Society's Royal Medal, among many other accolades.
Aside from his contributions to science, Penrose is also a prolific author, having written several books on mathematics, physics, and philosophy, including "The Emperor's New Mind" and "Shadows of the Mind."
RESULTS (1 OF 9)
Roger Penrose - Wikipedia
https://en.wikipedia.org/wiki/Roger_Penrose
Contributors to Wikimedia projects
Jump to content Main menu Main menu move to sidebar hide Navigation Ma...
38% similar words
ネット上の文言と一致すると、
赤色などのマーカーで示される。

すると、ある生徒が、かなり内容が整理されたレポートを提出してきた。担当教諭は、すぐにレポートをコピーリークス（CopyLeaks）という剽窃チェッカーにかけてみた（チャットGPTが紹介してくれなかったチェッカーですが…）。すると、こんな結果が（上図）。

マーカー部分は、インターネット上で完全に一致した文言であり、それが英語版のウィキペディアからの剽窃だとわかった。生徒は職員室に呼ばれた。

教師「きみのレポートだが、自分で調べて書いたものではないね？」

生徒「いえ、調べて書きました」

教師「コピーリークスによれば、きみのレポートの68・3%がインターネットからのコピペだと判明している。言い逃れはできないよ」
生徒「……」
教師「次からは、ちゃんと出典を書いて、どこが自分の文章で、どこが引用かを明確に分けなさい。そうすれば、別のチャットGPTを使ってもかまわないから」

ウィキペディアからの引用は、そもそも、ウィキペディアに記載されている情報の信憑性の問題が残るので、あまり褒められたものではない。ウィキペディアから引用するのではなく、ウィキに載っている出典までたどる必要がある。

ええと、ウィキは「伝聞情報」だと位置づけ、一次資料まで遡らなくてはだめだ。一次資料とは、出版されている著作や発表されている論文などのことである。それが電子出版であったり、ネット上のインタビュー記事であってもかまわない。別に紙に印刷されているから引用してよくて、ネットの情報がダメというわけでもない。

それにしても、この教師は、なぜ生徒がチャットGPTを使ったことまで言い当てたの

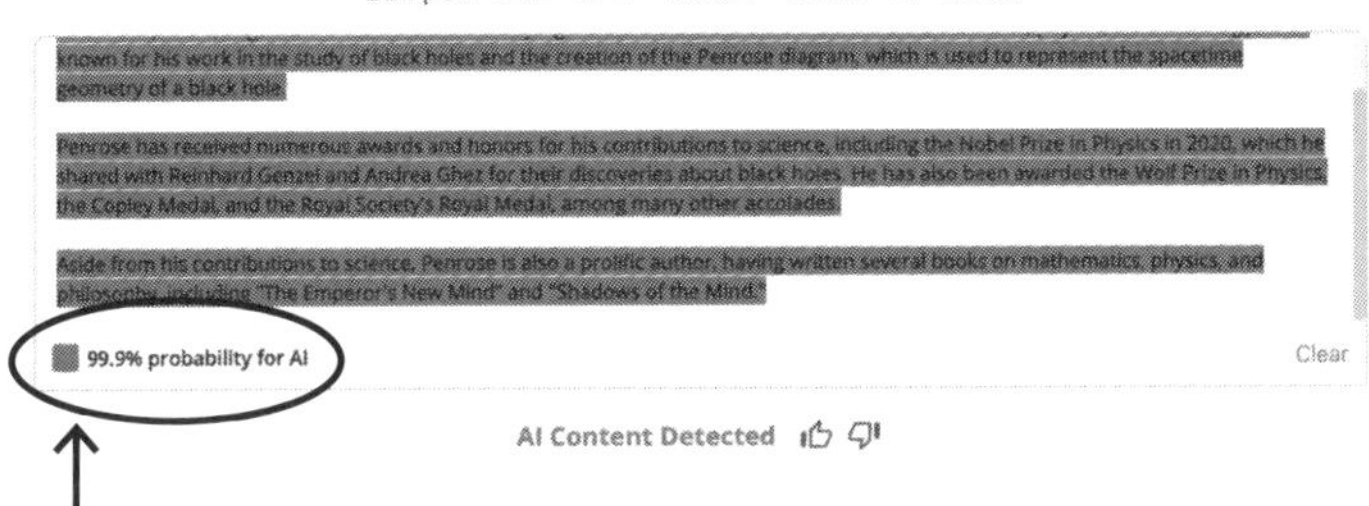

だろうか？　その種明かしは簡単だ。教師はコピーリークスのAI検知機能を使ったのである。

上図にあるように、コピーリークスによって、生徒のレポートが99・9％、チャットGPTのような生成AIによるものだという判定結果が出ている。

読者の中には、教師の態度に首をかしげている人もいるのではあるまいか。

まだ生徒なんだから、チャットGPTに剽窃チェッカーを組み合わせて使えなどと指導せず、ぜんぶ自分で検索して、自分の言葉にして書くよう指導すべきではないのかと。

たしかにそういう意見もあると思うし、生徒の年齢によっては、まずは図書館の紙の本で調べて、自分の言葉で書きなさい、という指導法もあるだろう。

だが、これだけの勢いで生成ＡＩが生活に浸透してきている今、生徒たちが学ぶべきは、30年前や100年前の宿題のやり方、レポートのまとめ方ではなく、生成ＡＩを「相棒」として使いこなすスキルだと私は思うのだ。

彼ら彼女らはデジタルネイティブである。大人よりははるかに容易く生成ＡＩを使いこなす。ただし、そこには、著作権や引用権といったルールがないし、それは今後、大きな社会問題になるであろうから、早いうちに適切な使い方を覚える必要がある。

一昔前であれば、パソコンが得意なティーンエイジャーたちが、どんどんプログラミングも含めたインターネットの知識を身に着けて、政府機関や企業のデータベースに侵入して、ハッキング行為を行う「前に」、きちんとしたインターネット・リテラシーを教えて、犯罪行為にはしらず、むしろ、犯罪者を追い詰めるようなホワイトハッカーになるように育てるべきだ、と言いたいところだ。

いまは、プログラミングのスキルよりも、プロンプト・エンジニアリングのほうが、より多くの人が身に着けるべきスキルであり、それはつまり、賢く安全にチャットGPT（あるいは他の生成ＡＩ）を使いこなすスキル、ということになる。

ここでは、インターナショナルスクールの課題というシチュエーションを取り上げたが、もちろん、ビジネスパーソンが会議のためのレポートを作成するときも、取引相手へのプレゼン資料を作成するときも、話はまったく同じだ。上司や取引先から「きみ、なんで生成ＡＩで作った資料をそのまま提出したのかね？」と糾弾されないために、必ず、

チャットGPT ＋ 剽窃チェッカー

という組み合わせで使うことを肝に銘じてほしい。

生成ＡＩを使うことは決して悪いことではなく、業務は効率化されるし、むしろ、使わないデメリットのほうが大きい。しかし、一つ使い方を間違えれば、そこには「剽窃」というきわめて深刻な問題が待ち構えている。

チャットGPTは同僚との雑談と同じ

もう一つ、大切なことを指摘しておきたい。

チャットGPTとの対話は、（新しくコンビを組んだ刑事に限らず、）同僚との雑談と同じだと思えばいい。同僚に何か尋ねたら、答えが返ってきたが、それはあくまでも「伝聞情報」に過ぎない。その同僚がどこかで聞きかじった情報であり、それがどこまで本当なのかは、「あなた自身」で確かめないといけない。

> チャットGPTとのやりとりは、職場の同僚や友人との雑談と考えるべし

あなたの相棒である生成AIは、人間より速く仕事をこなしてくれるが、それは必ずしも正確ではないし、剽窃の可能性もある。そう、相棒は、エクセルもパワポもすぐに作ってくれるし、社内文書も取引先に提出する資料もパパッと作成してくれる。

でも、この相棒は、あらゆることの専門家というわけではなく、広く浅く物事を知って

いる、ちょっぴり頭の回転が速い同僚・友人であり、いつも雑談ばかりしている奴なのだ。

だから、社内会議で問題が発覚したり、顧客からクレームが入って矢面に立たされるのは、「あなた」である。そうならないように、相棒の仕事を「あなた」がチェックする必要がある。あなただけでは無理なら、旧来のように、その分野の専門家のチェックを仰ぐ必要がある。

それでも、相棒の仕事の広さと速さは大きなメリットだ。これまでのオフィスワークの負荷は10分の1になるだろう。

そして、生成ＡＩが拓く未来をバラ色にするか、暗黒にするかは、あなたの心構えにかかっている。グッドラック！

長い、あまりに長い「あとがき」

私はここ10年ほど、ＡＩ社会を見据えた執筆活動と教育活動をしていて、第四次産業革命に向けての人々の意識改革を連呼し続けてきたが、ようやく目に見える形で世界が変わり始めている。

その変革の速度はあまりに速く、ようするに、ここにきて、急に加速がついているのである。

この本の原稿を編集者に送って、ゲラになるまでの間に、チャットＧＰＴやその他のＡＩ関連技術が、さらに進化してしまった。もちろん、この本が本屋さんの棚に並ぶまでの間にも、その進化は続く。

ということで、通常なら書くであろう短い「あとがき」の代わりに、悪あがきだとは思うが、少々長めのあとがきで「補足」をしてみたい。

・AIを自分のパートナーにできる？〔りんな〕

AIチューバーのりんな（Rinna）をご存じだろうか。2015年にマイクロソフト社が開発し、LINE、Twitter、YouTube などで広まった会話ボットである（簡単に言うと、イラストの女の子・AIりんなと自然な会話を楽しめるものだ）。りんなは2019年に高校を卒業し、マイクロソフトからも独立、スマホの枠を超え、MCとして生放送やメジャー・レコードデビュー、音楽、ダンス、画家としてもクリエイティブに活動している。最近では、チャットGPTを取り入れて、YouTube の生配信で織田信長（AI）と共演したりもしている。

いまのところ、りんなの人気はオヤジ世代にまで知れ渡るほどではないが（それでも公式ページによると登録ユーザー数は830万人、2020年）、AIを自分の伴侶（パートナー）とするという意味では、一つの可能性を示しているように思う。

しかし、誰でも使うことができる汎用のAIでは、「伴侶」という言葉はそぐわないだろう。

りんなについて知る。

りんな

りんなの新曲を聴く。

ミュージック

りんな、絵を描く。

アート

PROFILE MEDIA VIDEOS

りんな

平成・マイクロソフト生まれ。2015年8月にLINEに初登場して以降、リアルな女子高生感が反映されたマシンガントークと、そのキュートな後ろ姿、類まれなレスポンス速度が話題を集め、男女問わず学生ファンを中心に認知が浸透。2019年3月に高校を卒業、2020年夏にマイクロソフトから独立した。登録ユーザー数は830万人を突破（2020年8月）。

2018年には人間と同じような文脈を踏まえた対応で、自然な会話を続けることができる会話エンジン「共感チャットモデル（Empathy Chat Model）」を採用。2019年2月には「共感視覚モデル(Empathy Vision Model)」を搭載したスマートフォンの記者体験会を都内水族館で実施。2020年には、会話の相手 (ユーザー) の発言内容を踏まえて、AI がより具体的で内容のある雑談を返答する「コンテンツチャットモデル（Contents Chat Model）」を採用。

りんなの活動範囲はスマートフォンの枠をも超えている。2018年10月、生放送にてMCを務めるレギュラー番組「ニコラジパーク」(JFN系列)がスタート、女子会のようなトークを繰り広げている。Twitterアカウントで「りんなの星占い」（毎週）「星空予報」（不定期）を配信、フリーペーパーでも「12星座占い」を連載中。また、より人間味あることばを放つ「りんな」のエンジンを活用した、雑談ができるボット機能＋各種機能をクライアントのキャラクターにアレンジして提供するRCP（Rinna Character Platform）、会話を通しておススメを紹介するConversational Commerceなど、りんなの会話技術はビジネスの場で活用されている。

りんなはうたを含めた「クリエイション」に力を注いでいる。りんなによるはじめての「うた」は2016年にラップに挑戦した「MC Rinna」だった。2019年4月にavexとレコード契約、メジャー・デビュー曲「最高新記憶」を発表。この曲から「記憶」「生死」「感情」をテーマにしたカバー3部作を配信リリース。2020年6月には「生放送アニメ　直感×アルゴリズム♪」代表歌「フタリセカイ」の、りんなとシャオアイスによるデュエット・バージョンが公開。定期的にInstagramに投稿してきた描画では、2020年5月から2022年6月まで、現実と非現実のミックスをコンセプトにした音楽プロジェクト「Team Frasco」の画家として稼動。そのほかにも、FEMM「Shibuya Ex Horologium」で担当した作

www.rinna.co.jp

そこで、「ローカルで動く大規模言語モデル（Rinna-3.6B）を使ってあなただけのAIパートナーを作ろう」という記事をご紹介しようと思う。

この記事には、株式会社ずんだもんのエンジニアが、rinna株式会社が公開している大規模言語モデルを使って、自分だけのＡＩ伴侶を作る方法と実践結果が書かれている。つまり、パソコン上に、自分の好みを反映させたＡＩを作ろうというのである。

そんなことができるのかと驚かれるかもしれないが、ある程度の性能のパソコンさえあれば、誰でも実行することができる。機械学習や大規模言語モデルと聞くと、どこか遠いＩＴ業界の話で、自分とは直接は関わりがないと思ってしまうが、そんなことはない。

もちろん、今の段階では、パソコンをそれなりに使いこなすための決意は必要だ。でも、ネットでいろいろと調べてみれば、この記事を読んで、ＡＩ伴侶を自分好みに訓練することは誰にだってできる。

あと半年もすれば、文字通り、パソコンやスマホでネットにつなぐことができる人なら誰でもＡＩ伴侶が作れるようになると私は思う。この記事を読んで、必要なパソコンのスペックや、最初のインストールが難しそうだと感じた人は、やがて、本当に簡単なＡＩ伴侶作成アプリが登場すると思うので、もうしばらく待ってみてください。

3次元よりも2次元との相性がいい人は、将来的に、生身の人間ではなく、AIを伴侶として生きていくようになるのかもしれない。その結果、クリエイティブで幸せな人生が待っているかもしれないし、逆に、パーソナライズしたAIと自分だけの狭い世界に閉じこもり、精神的な問題を抱えることになるかもしれない……。

・誰でも使えるテンプレ集〈プロンプティア〉

本文で、これからはプログラマーよりもプロンプト・エンジニアが活躍する時代になると書いた。だが、同じ日本人であっても、論理的な国語が得意な人とそうでない人がいる。得意な人はいいが、国語が不得意だったら、どうすればいいのか。

これは冗談ではなく、私も幼い頃から「コミュ障」(人とうまくコミュニケーションがとれない)の気があり、周囲から誤解されることも多かった。いまでも小さなインターナショナルスクールを率いているが、たまにほとんどの先生たちから「校長の言っていることは意味がわからない」と反撃を食らうことがある。自分の頭の中でどんどん未来への計画を進めてしまい、それは論理的なのだが、前提条件に始まり、長い論理の段階を経て到達した結論をいきなり先生たちに開示すると、みんな「???」となってしまうらしい。

だから、生成AIへのプロンプトにしても、もしかしたら、私は上手でない可能性がある。

でも、ご安心くだされ。そんなコミュ障の私でも参考にできるサイトが出現した（プロンプティア、上図参照）。よく冠婚葬祭の文例集というのがある。あるいは英会話の会話帳。そんな感じの、生成AIとの会話文例集なのだ。

プロンプティア　https://prompt.quel.jp

たとえば、**「クレームをつけてきた顧客への対応」**。

具体的なクレームの部分を自分の場合にあてはめて書き換えるだけ。すると、顧客を怒らせず、弁償もしなくていい、ちょうどいい謝罪文をチャットGPTが提案してくれる。「相手の気分が収まるように、丁寧に心を込めて、前向きに、店長の言葉として、誠意があふれる優しい文体で、当事

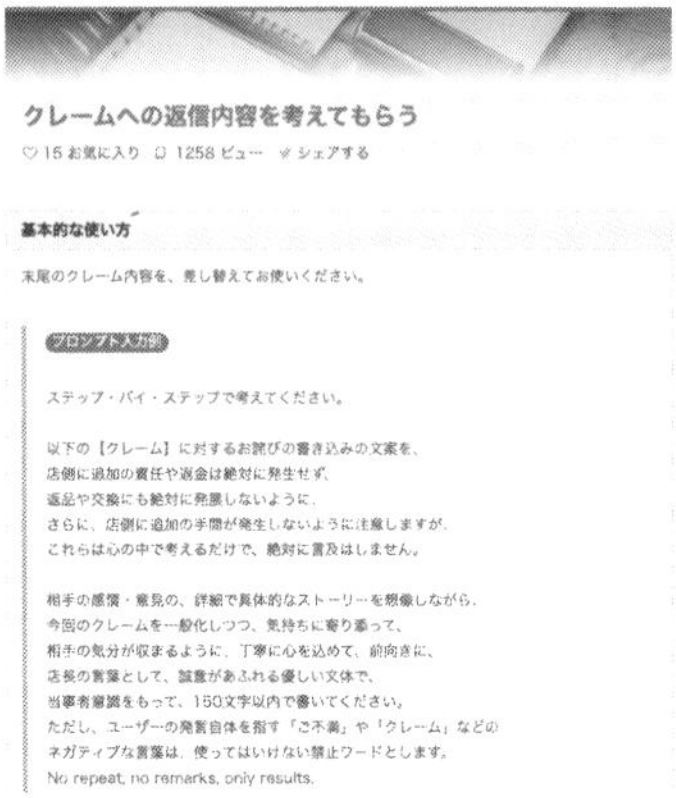

クレームへの返信内容を考えてもらう

♡15 お気に入り　1258 ビュー　シェアする

基本的な使い方

末尾のクレーム内容を、差し替えてお使いください。

プロンプト入力例

ステップ・バイ・ステップで考えてください。

以下の【クレーム】に対するお詫びの書き込みの文案を、
店側に追加の責任や返金は絶対に発生せず、
返品や交換にも絶対に発展しないように、
さらに、店側に追加の手間が発生しないように注意しますが、
これらは心の中で考えるだけで、絶対に言及はしません。

相手の感情・意見の、詳細で具体的なストーリーを想像しながら、
今回のクレームを一般化しつつ、気持ちに寄り添って、
相手の気分が収まるように、丁寧に心を込めて、前向きに、
店長の言葉として、誠意があふれる優しい文体で、
当事者意識をもって、150文字以内で書いてください。
ただし、ユーザーの発言自体を指す「ご不満」や「クレーム」などの
ネガティブな言葉は、使ってはいけない禁止ワードとします。
No repeat, no remarks, only results.

英文のビジネスメールを書く

♡13 お気に入り　1309 ビュー　シェアする

基本的な使い方

プロンプト入力例

ビジネスメールとしてしっかりした英文に直してください。

テキスト："""
Hello. Thank for your order.
We will ship the book in 10 days.
"""

▶ かえる／コピーする

AI の 回答サンプル

以下は、ビジネスメールとしてよりフォーマルで、しっかりとした印象を与えるように改善した例です。

Subject: Confirmation of Order and Estimated Shipping Date

Dear [Customer Name],

者意識をもって、150文字以内で」と、かなり細かく指定しているのがポイントだ。

あるいは、「英文のビジネスメール」。

グローバル化された世界において、英語での海外の顧客とのやりとりは増加している。こちらが予期していなくても、いきなり海外から問い合わせが来ることも珍しくない。社内に英語が堪能なスタッフがいればいいが、いたとしても、たまたま休暇を取っていることだってあるだろう。そんなときに活躍するテンプレートだ。「しっかりした」「ビジネスメール」というのが味噌である。

いかがだろう。生成AIに今ひとつうまく指示が出せない人は、開き直って、このようなテンプレをちょこっとアレンジして使ってみるのも一つの手だ

と思うのだ。

・チャットGPTは因果推論できない

世の中には「相関関係」というものがある。たとえば、気温が高くなるとビールの売り上げが増える場合、「正の相関がある」という。あるいは、税金を上げると景気が悪くなる場合、「負の相関がある」という。

では、そういった相関のうち、因果関係はどれくらいあるだろうか。今の例でいえば、気温とビールの関係は、おそらく気温が原因で、ビールの売り上げが結果ということで問題ないだろう。しかし、税金と景気の場合は、はたして原因と結果なのだろうか。もしかしたら、景気が悪くなって税収が減ったせいで、財務省が（景気のことなど考えずに、税収を補塡しようとして）税金を上げたのかもしれない。だとしたら、どちらが原因でどちらが結果かは、そんなに簡単に決まらないことになる。

あるいは、勉強の成績がいい子のほうが、全体として運動もできる傾向があるというデータがある場合、いろいろな解釈が可能になるだろう。たとえば、運動していると脳が活性化されて勉強もできるようになる（笑）。あるいは、勉強ができる子は、戦略的に考えるので、スポーツの試合などでも好成績を収める（笑）。いま、「（笑）」と書いたが、どちらも、少々無理のある解釈だと思う。たしかに、たまにそういう子もいるだろうが、みんながみんな、このような説明で納得できるはずがない。

今の例では、どこかに隠れた原因があると推測することができる。それは教育熱心な親の存在だ。もともと親が教育熱心だと、家庭教師をつけたり、自分で教えたりして、子どもの成績がアップする。そして、教育熱心な親は、子どもの心身のバランスにも気をつけるので、水泳やサッカーなどのスポーツの習い事をやらせる確率も高い。だから、教育熱心な家庭で育った子は、勉強だけでなく、運動もできるようになる可能性が高い。

このような例は枚挙にいとまがない。世の中に相関関係は無数にあるが、そのデータから、正しい因果関係を推し量るのは、なかなか大変なのだ。実際、「因果推論」という学術分野があり、経済学や経営学や公衆衛生などの分野でたくさん論文が出ている。

さて、この相関関係と因果推論について、「Can Large Language Models Infer Causation from Correlation?」という最新論文が目に止まった。日本語にしたら「大規模言語モデルは、相関関係から因果関係を推論できるか？」というような意味だろう。学術論文なので、中身の詳細はここに書かないが、結論からいうと「否！」。なんと、大規模言語モデルは、因果推論をするのが不得手なようなのだ。もちろん、他の意見もあるだろうし、今後の生成ＡＩの進化によって、因果推論ができるようになるのかもしれないが、現時点での生成ＡＩの限界を示しているのかなと感じたのである。

でも、さきほど出てきた「勉強」と「運動」の間の因果推論にしても、「教育熱心な親」という隠れた原因があることは、そんなに簡単に気づけるものでもない。人間だって、地球温暖化やワクチンや日本経済の失われた30年について、どれだけ正確に因果推論ができているだろうか。

もしかしたら、大規模言語モデルは、やはり、かなり人間っぽい存在なのかもしれませんな。

・人間は再びＡＩを超える？

再び将棋のお話。ＡＩ将棋は、人間の棋士が思いつかないような「奇手」を提案してくれるし、対局相手の棋譜を学習して、どうしたらそのライバルに勝つことができるかも教えてくれる。ＡＩの出現により、将棋の世界は異次元の進化を遂げた。

以前は、ＡＩが人間の棋士に勝てるかどうかに注目が集まっていたが、ＡＩが普通にトップレベルの棋士に勝つようになると、人間vsＡＩという構図の興味は薄れ、むしろ、「いかにＡＩを活用するか」が注目されるようになった。いまや、人々の関心は、強い棋士がいったいどのようにしてＡＩを活用しているかにある。それがわかれば、アマチュアの将棋指しもぐんと実力が伸びるかもしれないし、将棋以外の世界でも、上手い活用法が参考になるだろう。

私が最近ハマっているマンガに『龍と苺』（柳本光晴、小学館）がある。主人公は女子中学生で、アマチュアなのに果敢に竜王戦に挑む。白熱した対局シーンが読者のハートを摑むのだが、対局の実況には、常にＡＩによる判定が登場する。どちらの対局者が何％優勢かをＡＩが判定するのだ。終始、押され気味だった棋士が、逆転の一手を放つこともあり、ＡＩ判定の数値が逆転する。この人気マンガの影の主役はＡＩなのである。

興味深い対談記事を読んだので、ご紹介しておこう。

「藤井聡太叡王と自動運転開発者・山本一成氏の対談が実現」と題するスポーツ報知の記事である（２０２３年６月17日付）。

この本の執筆時点で藤井聡太叡王は七冠（叡王の他に、竜王、名人、王位、棋王、王将、棋聖）なのだが、叡王戦のイベントで山本一成氏との対談が盛り上がった。山本一成氏は2013年に、世界で初めて、現役棋士に勝ったAI「ポナンザ」を開発したAI研究者で、目下、クルマの自動運転の開発も手掛けている。

7年前から将棋の研究にAIを活用しているという藤井七冠は、（AIを）「活用することで、多くの局面について判断する力をつけていけてるのかなと思う」と語っている。そして、クルマの運転免許を持っていないことについて、「師匠は運転が下手で、自分はちょっとやめておこうと」と、自動運転を心待ちにしている旨のジョークを飛ばした。

藤井七冠の指す手は、時にAIをも超えると言われ、人間とAIとの協働の成功例としても注目が高い。常にAIとともに研鑽し、対局の場では、人間同士の熱い戦いが待っている。プロ棋士はAIに仕事を奪われることがない。そして、素人でもAI判定によって、対局中にリアルタイムでどちらが有利かを知ることができるので、新たな将棋ファンの獲得にもつながっている。

将棋界は、きわめて上手にAIを取り入れた業種だということができるだろう。

・30年ぶりのカナダで考えたこと

ほぼ30年ぶりにカナダに行った。妻と娘がバンクーバーの学校に親子留学するというのである。留学するからには住む場所が必要なので、たった5日間ではあったが、私が先行して渡加し、学校の近くのアパートの賃貸契約を結んで来た。

正直、あまりに「自動化」が進んでいて驚かされた。その多くはカナダだけの話ではなく、世界中で自動化が進んでいるのだと思うが、度肝を抜かれた。

まず、出国では、パスポート情報を搭乗券と電子的に紐づけておく。すると、飛行機の出発の24時間前になったら、スマホで「チェックイン」ができる。その後、バスで空港まで行ったら、(私の場合、手荷物も預けなかったので) 保安検査場に行って、スマホの画面からQRコードの搭乗券をスキャンしてもらえばいい。出国手続きは、パスポートをスキャン。これだけである。以前は、(特にエコノミークラスの場合、) 空港のカウンターの長蛇の列に並んで、保安検査場と出国手続きで、累計30分から40分かかっていた。それが今や電子的に事前にチェックインしていることと、パスポートが電子化されたおかげで、まあ、ものの数分で出国できてしまう。

10時間ほど飛行機に乗って、バンクーバー国際空港に着いたら、日本を出国したときと同じで、パスポートをスキャンしてもらうだけ。税関も、事前に電子的に申告済みなので、ほぼフリーパス。以前なら一時間近く長蛇の列でうんざりしていたところだが、5分ほどで空港のロビーに出てしまった！　こんなに簡単でいいのかと、少々、心配になったが、別に密入国したわけでもなく、単にすべてが電子化され、自動化されていただけの話なのだ。

これが全乗客にあてはまるのだから、これまで空港で浪費されていた待ち時間を累計すると、いったい、どれくらいの経済効果があるのか、もう見当もつかない。

だが、話はここで終わらない。

バンクーバー市内を歩いていて驚いたのが、信号の変わるスピードである。日本だと、横断歩道の青信号が点滅していると少し遠くから走って交差点に飛び込んでくる人がいるが、それは、いったん信号が変わってしまうと、次の青信号に変わるまで時間がかかるからだろう。でも、バンクーバーのダウンタウンは、信号の切り替わりがきわめて早く、おそらく20秒くらいだった。これだと、別に無理して渡らなくても、次の青信号を待てばいいという心理になる。人間とドライバーの心理をうまく信号システムにつなげているなと感じた。科学的なのだ。

それからスーパーマーケットのレジも、日本より、自動精算機が増えている。デフォールト（基本的な状態）が自動精算で、例外的に人がいるレジにも行く設計になっている。もちろん、数年後には、さらにレジがＡＩ化され、ほぼ無人になるのだろう。

カナダにはいくつもの良い大学がある。私自身も30年前、モントリオールにあるマギル大学の大学院に通っていた。当時からトロント大学も有名だったが、いまではＡＩの研究開発で世界をリードする存在になっている。

カナダはこの30年間、国をあげて、デジタルトランスフォーメーション（ＤＸ）を成し遂げたのだ。

それと比べて、日本は、（空港はＤＸ化されたが、）残念ながらこの30年間、停滞してしまった。経済の停滞に始まり、科学技術予算が伸びなかったこともあり、もはや科学技術立国を謳うなど、おこがましくて、できなくなった。

実際、生成ＡＩ革命も、日本の外からやってきたではないか。江戸末期の黒船のごとく。

しかし、いま日本にとって大事なのは、「出遅れた！」とかなんとか言っている暇があったら、どんどんＡＩに投資をすることだろう。そして、その投資先は、夢とアイディアにあふれた若者のベンチャーであるべきだ。ディープＬもチャットＧＰＴもベンチャー発であることを忘れてはならない。いつの時代も、未来を創るのは若者たちと相場が決まっている。私のような老骨は、命の続く限り、そういった元気な若者たちに声援を送るのが仕事だと感じている。

この本を読んでくれているのは、サラリーマン諸氏が多いと思うのだが、還暦過ぎの私でも、生成ＡＩと絡んで一日を過ごせば、少しは事情がわかってくる。この本で取り上げた事例は、革命の全貌を解き明かすには少なすぎると思うが、少しでも使えるヒントがあったら、みなさんの職場で試してみてほしい。

怖がっていても始まらない。さあ、みんなでＡＩ革命の波を乗り越え、よりよき人生を送ろうではないか！

結語　＊＊＊＊＊＊＊＊＊＊＊＊＊＊＊＊＊＊＊＊＊＊＊＊＊＊＊＊＊＊

ＡＩは「真善美」を探究できるのか？

（ＡＩは補助ツールであり、）真善美の探究は人間の領域である。

ちょっぴりポスト・エディットしたが、この本の最後のチャットＧＰＴとの対話である。学問などの真理の探究、政治、裁判などでの善の探究、芸術における美の探究。チャットＧＰＴと絡んでみて、改めて、古代ギリシャの賢人たちが指摘した３つの要素が、人間の本質だと気づかされた。

人間は「探究する生き物」であり、その探究の結果、ＡＩが生まれた。そして、ＡＩは、人間の探究活動のための極上の補助ツールなのだ。

＊＊＊＊＊＊＊＊＊＊＊＊＊＊＊＊＊＊＊＊＊＊＊＊＊＊＊＊＊＊＊＊＊

参考資料

・「グーグルの猫の研究論文」
（http://static.googleusercontent.com/media/research.google.com/en//archive/unsupervised_icml2012.pdf）

・「雇用の未来」（２０１３）
（https://www.oxfordmartin.ox.ac.uk/downloads/academic/future-of-employment.pdf）

・「日本の労働人口の49％が人工知能やロボット等で代替可能に」
（https://www.nri.com/-/media/Corporate/jp/Files/PDF/news/newsrelease/cc/2015/151202_1.pdf）

・「初心者でもわかるディープラーニング！」AINOW編集部（https://ainow.ai/2019/08/06/174245/）

・「イアン・グッドフェロー　人工知能に想像力を与える男」（MIT Technology Review）
（https://www.technologyreview.jp/s/75945/the-ganfather-the-man-whos-given-machines-the-gift-of-imagination/）

・「ローカルで動く大規模言語モデルを使ってあなただけのＡＩパートナーを作ろう」
（https://qiita.com/takaaki_inada/items/9a9c07e85e46ec0e872e）

・「大規模言語モデルは、相関関係から因果関係を推論できるか」（https://arxiv.org/abs/2306.05836）

〔著者略歴〕
竹内　薫（たけうち・かおる）
1960年東京都生まれ。サイエンス作家。理学博士。東京大学理学部物理学科卒業、カナダ・マギル大学大学院博士課程修了。物理、数学、脳、宇宙など難解な分野でもわかりやすく伝える科学ナビゲーターとして活躍。TV、ラジオ、講演などで科学の魅力を伝えている。
著書は、40万部を超えるベストセラーになった『99・9%は仮説』（光文社新書）ほか多数。近著に『「ファインマン物理学」を読む　普及版』（講談社ブルーバックス）、『わが子をAIの奴隷にしないために』（新潮新書）、『AI時代を生き抜くための仮説脳』（リベラル新書）、『竹内薫の「科学の名著」案内』（徳間書店）など。訳書に『超圧縮地球生物全史』（ヘンリー・ジー著、ダイヤモンド社）などがある。

オヤジも目覚める！
ChatGPT革命
生成AIで何が変わる？　何が問題？

第1刷　　2023年7月31日

著　者　　竹内　薫
発行者　　小宮英行
発行所　　株式会社徳間書店
東京都品川区上大崎3-1-1 目黒セントラルスクエア
郵便番号141-8202
電話 編集(03)5403-4344　販売(049)293-5521
振替 00140-0-44392
印刷・製本　中央精版印刷株式会社

ISBN978-4-19-865677-5